続・最後の場所

NO.12

題字・組版／梅村城次

きれぎれの感想（2023年1月）

～ロシアのウクライナ侵攻（2）

菅原則生

――①

紛争には双方の言い分がある。先の大戦でも、日本には日本の言い分があった。欧米列強とのエネルギー争奪や覇権争いだ。今回、不思議に思うのは、ロシアが悪、ウクライナが善という仕分けだ。われわれが子どもの頃、けんかをしたら両成敗だった。国と国の争いにも当てはまると思う。力による領土拡大や主権侵害はあってはならない。しかし、なぜそうなったか考える必要がある。

昨年十月、ウクライナのゼレンスキー大統領は「自爆ドローン」を（東部の）親ロシア派地域に飛ばした。プーチン大統領としては、ロシア人が殺される、被害を受けるとなったら政権維持にも影響するわけだから、態勢を取るのは当たり前だ。だから国境に兵隊を寄せた。なぜドローンを飛ばす必要があったのか、誰もゼレンスキー大統領を責めない。

今年二月の欧州安全保障協力機構（ＯＳＣＥ）で、ゼレンスキー大統領は（ウクライナの核放棄と引き換えに同国の安全を米英ロが保障すると約束した一九九四年の）「ブダペスト覚書」を再協議しようと提案した。

それにプーチン大統領が激しく反応した。自分の庭先で核を持たれたら、銃口を構えられたら安全保障上大変なことだ。そこでプーチン大統領も、黙っていたらやられる、ここは先手でなければいけないということで、二月二十四日の侵攻になった。

（「鈴木宗男氏に聞く」時事ドットコムニュース、二〇二二年十一月十一日配信）

鈴木宗男がいうように、わたしたちは「西側」の報道に刷り込まれて「ロシアが悪、ウクライナが善」という図式にしらずしらずしらずに入りこんでいるのかもしれない。だが鈴木は逆に「ロシアが善、ウクライナが悪」という図式にしらずしらずに入りこんでいるのではないか、というように自省することはない。個々のエピソードをひろっていけば、一方が善で、他方が悪になるかもしれない。また別の系列の個々のエピソードをひろっていけば、一方が悪で、他方が善になるだろう。むしろ逆に「一方が善で、他方が悪」という図式を前提に置いてエピソードを意図に沿ってひろいあつめているということもありうる。そして鈴木は無意識にプーチンにのりうつり、床屋政談の延長上で、「そこでプーチン大統領も、黙っていたらやられる、ここは先手でなければいけないということで、二月二十四日の侵攻になった」、戦争は子どもの喧嘩と同じでどちらにも非がある、このまま戦争が続けば罪のない地域住民の死が増えていくから「即時停戦」しかないとむすんでいる。「水戸黄門」みたいな、いいようのない通俗性、党派性、人のよさを感じる。

二月末、ロシアが「ほかに選択肢はなかった」という神がかった大義名分と「思いこみ」のもとウクライナの首都キエフの軍事拠点と住民の住居にミサイルによる無差別爆撃を始め、ロシア軍がウクライナの大統領府を一気に制圧しようとしたが達成できず、首都近郊の町や村に軍を展開させた。予期に反してウクライナの反撃に遭い、ひと月ほどしてロシア軍は首都近郊の町や村からも撤退した。近郊の町や村に入ったウクライナ軍が見たのは、ロシア軍が、侵攻に抵抗した数百の住民を虐殺した跡だった。後ろ手に縛り、背後から頭を撃ち抜かれた「処刑」スタイルも多くあったという。この報道に接したとき、わたしたちはおぞましい衝撃を受けた。するとすぐにロシア政府は、「あれはウクライナによる自作自演だ。ロシアは極悪非道な行為をやっていない」というプロパガンダを行い、「虐殺」の罪をウクライナになすりつけた。これはファシズム党派の常套手段だ。わたしはかつて弱小政治党派にいたことがあるから、あれはロシア軍がやったものだということは経験的にすぐ察知した。だが見ていたわけではないから推測にすぎないといえばいえる。そして、ウクライナ軍もまた東部の親ロシア派が多い地域で残虐な行為をやったという報道が散見されるようになった。これも「事実」であろう。わたしは鈴木宗男がいうように「西側」の偏向報道に刷り込まれているのだろうか。住居を爆撃されて逃げ惑うウクライナの地域住民の姿が報じられると、ウクライナのほうにシンパシーを寄せている。三上治は、自分が若ければウクライナの義勇軍に駆けつけたいところだとのべている。

これはかつての党派と党派のあいだの「やつはスパイだ」という諍い、信仰の争い、「確信の確信」という主観の争いに似ている。簡単そうに見えて簡単ではない問題をはらんでいる。敵への即自的な批判は、敵もほぼ同じ批判を自分たちに持っていることの裏返しだ。敵への批判が正しければ、敵の自分たちへの批判もまた相応に正しい。

遙かかなたの「戦争」に対するわたしたちの「構え」はもろく、立て直さなければならないと感ずる。ひとつは、レーニン以降の「ソ連ファシズム」、その再来である「ロシアファシズム」をどう認識すべきかということだ。いいかえれば、歴史はあの「ファシズム」へのカタをまだつけていないのではないか、まだその途中なのではないかということだ。もうひとつは、「戦争」や「虐殺」を、どちらに悪があり善があるかと見なさないで、捉える道筋はあるのかということだ。

プーチンの「ロシアファシズム」は、スターリンの「ソ連ファシズム」と別のものではない。ロシアのウクライナ侵攻は、「ハンガリー動乱」「プラハの春」「ポーランド『連帯』への弾圧」「アフガン侵攻」など数々の近隣国への武力侵略の延長上にあるものだ。地域住民を国家が強制的に集団移住させて集団農場・集団工場に縛りつけ、異議ある者に死刑を宣告し、または強制収容所に家畜のように「収容」して確立した強固な半アジア型の支配モデル「国家社会主義」を、近隣諸国に移植することで成り立ってきた「ソ連ファシズム」。近隣国に傀儡政権をつくり、工場や農場に傀儡「評議会」をもうけ、これに対する異論はストレートに神聖「ロシア共産党」に対する反乱と見なして武力と「恐怖」によって封殺してきた「ソ連ファシズム」「ロシアファシズム」が、地域住民の疑義にさらされてから半世紀が経とうとしている。

だが、そのファシズムは、「西欧近代」からは悪の画像で捉えられたとしても、数千年来のアジアの農村の、ぶあつい、相互扶助の豊かな情緒によって裏打ちされ、相互扶助の豊かな情緒と無矛盾で併存していることも現実なのだ。むしろロシアファシズムは、蒙昧で豊かな相互扶助の情緒を基底にし、その基底によって支えられている。いわば、絶対王政のような、死臭・俗臭ただよう「偉大な」スターリンとその官僚たちによる、自分たちだけの特殊利益のための地域住民に対する殺戮は、地域住民自身が支持し、推し進めたのだともいえる。そしてそのことが現在でも歴史の第一義的な問題なのだ。

――②

現在、ロシアと東欧における民衆の蜂起は、もちろんトロツキーの著書をすべて解放するところまでゆくにちがいない。でも政治的な僧院の内部で、トロツキーの名誉回復がなされるかどうかに、そんなに意味などあるはずがない。その段階はすぎてしまった。いま先進社会の中軸にまでせりあがってきた大衆は、政治的な僧院の扉をひらき、隔壁をとりはらうことを要求して蜂起している段階なのだ。そこではレーニンやトロツキーのような偉大な僧侶の理念が、民衆の歴史的な無意識につめよられて、問われているのだ。（中略）

いま現在このとき、歴史は個々の民衆の偶然の総和としてしか歴史の偶然を造らなくなっている。そんなところでは、個々の民衆の必然の総和としてしか歴史の必然を造らなくなっていることを意味する。いまロシアと東欧で民衆が政治的な僧院を揺さぶっているのはそのことを意味しているのだ。

（吉本隆明「書評『トロツキー自伝』」一九九〇年初出）

「ベルリンの壁」の崩壊が一九八九年、ソ連邦の崩壊が一九九〇年、以降、旧ソ連邦を構成した東欧・近隣衛星国は次々とソ連邦から離脱して、ＥＵ（欧州連合）に接近、もしくはＥＵに加盟している。これらはプーチンらがいうように、ＮＡＴＯ（欧州軍事同盟）が旧ソ連邦構成国を侵略した結果でもないし、ネオナチズムが東欧で隆盛しているからでもない。初めに、民衆の利益を第一義とする「労働者国家」を自称しながら、民衆の利益から遠ざかり、ひと握りの為政者と官僚の利益のために民衆を封殺する「国家」に変質してしまった「政治的な僧院」に対して、歴史は個々の民衆の意思の総和によってつくられるのだということに気づきはじめ、歴史の主軸にせりあがってきた民衆が「ＮＯ」を突きつけ、「政治的な僧院」のすべての抑圧の撤廃に向けてにじり寄っていることの証左なのだ。「ベルリンの壁」の崩壊とソ連邦の崩壊を目の当たりにしたプーチンら一党が、そのことを知らないはずはない。

「国家社会主義」国家に限定しないで、いわば西側の「国家資本主義」国家も含めた「政治的な僧院」に、個々の民衆が異議を唱え、その撤廃に向けてにじり寄っていることの指標を吉本は、「第一次・二次産業が衰退し、第三次産業への就業者割合が増加していること」と、個人の「消費支出のうち、必需消費支出（食料・水道光熱費など）を選択的消費支出（娯楽・遊興・外食など）が上回りつつあること」の二つをあげている。そしてこの二つの指標はパラレルで、「第三次産業への就業者割合」が増加することは「必需消費支出＜選択的消費支出」を押しあげていくものとみなしている（ここ二年ほどはコロナ禍による消費衰退で必需消費支出＞選択的消費支出の傾向が出ている）。もうひとつあげるとすれば、「国民総生産（ＧＤＰ）」に占める個人消費額の割合が半分を超えていることだ。

吉本によれば、経済社会構成の変容が、大ざっぱに、個々の民衆の意識内容を規定し変容させている。簡略化していえば、「国家や企業体があるから個々の労働者は生存している」のではなく「個々の労働者がいるから国家や企業体は成り立っている」というように変容しているということだ。「個々の民衆の必然の総和としてしか歴史の必然を造らなくなっている」（吉本）というのはそのことだ。そしてこの変化は日本では一九七〇年代のどこかで起こっている、と吉本は述べている。

「第三次産業への就業者割合」の推移はどうなっているのか。日本の場合をひきだしてみる。

一九六〇年　三八・二％
一九八五年　五五・四％
二〇〇五年　六七・三％　（総務省調べ）

この推移は世界のどの地域でもほぼ同じ展開をたどることがわかっている。次に各国の二〇一九年の「第三次産業への就業者割合」をひきだしてみる。

ウクライナ　六〇・三％（二〇一七年の数値）
ポーランド　五八・九％
スロバキア　六一・一％
ベラルーシ　五八・五％
ロシア　六七・四％
アメリカ　七八・七％
カナダ　七九・二％
フランス　七七・四％
イギリス　八〇・九％

ドイツ　七一・六％
スウェーデン　八〇・〇％
日本　七三・〇％
韓国　七〇・四％
シンガポール　八六・〇％
中国　四七・四％
インド　三一・八％（二〇一八年の数値）
イラン　五〇・四％
ミャンマー　三四・二％
エチオピア　二〇・六％

（ILO調べ）

これら「第三次産業への就業者割合」の増加、高度消費社会への進展によって個々の民衆が「政治的な僧院」を根底から揺さぶり、紆余曲折を経ながらその扉をこじ開けることに躙り寄ってゆくことは疑いようがない。高度消費社会では、個々の民衆にとって、「社会的存在としての自分」と「本来の自分」というものが乖離し、精神の病いを潜在させながら、いやおうなく自分と向き合うことを強いられ、あるいは、万人が自分を他者のように客観的に視ることを強いられ、その自問自答は「政治的な僧院」と矛盾するほかないからだ。これは「西側」「東側」という差異も超えていくだろう。今回のロシアの侵略について、しばらくはウクライナと「西側」が個々の民衆の無意識の支持を集めているようにみえるが、近い未来においてウクライナと「西側」の「政治的な僧院」の扉もまたこじ開けられるのは歴史の必然なのだ。

――③

そして憲法九条にも、ちょうどそんな意味しかないので、「ジグザグしたって、いずれ世界中がそこへ行くよりしょうがないよ」といえばいえるわけですし。今のところ日本の憲法だけがそれをもっているわけですが、そこへ行くよりしかたがない。よくよく見てみれば、ソ連やアメリカだって、だんだん「核軍縮しようじゃないか」といいだしてきてるじゃないか。これだって、日本国憲法のありかたにだんだん近づいていきつつあるという見方をしようと思えばできる。

だけどもう一面から見たら、日本国憲法というのは途轍もない憲法で、リアルタイムでいったらば、世界中で通用するはずがないよということは、前提だという気がするんですよね。前提にしておかないといけないと思うんですよ。みだりに「平和憲法だからアレしましょう」みたいなことをいうのは、全然ちがうことだと思います。

だから、これはもうどうしようもなくて、こんな憲法をもっているというのは変人奇人みたいなもので、なかなかどうしようもないんだよ、だけどこの方向で行くよりしかたがないんだよ、ということをいっていくよりしょうがない。この憲法をやめにするということになるのかも知れませんけど、二、三年経ったら、軍隊を認めよう、派兵を認めようという意見のほうが強くなっちゃうこともありうると思うんですけど、でも僕にいわせれば、それはまったくむだなことのように思えるんです。経済的な出費としても、むだなことだと思います。

ここで軍国少年的な、昔取った杵柄みたいな言い方をしますと、アメリカとソ連の軍備を両方抑えられるぐらいの軍備を持つっていうならまだ意味があるかも知れませんけど、そんなことは天地がひっくり返ったって不可能なことなんですよ。だから、そんなことは初めからやめたほうがいいんですよ。また、それに近づけようなんていうのはまったく意味のないことです。

それよりも「おまえ、戦争なんてやめたほうがいいぞ。核なんてみんな棄てたほうがいいぞ。あと、軍備も棄てたほうがいいぞ。そのほうが経済的に楽になるよ」と説得して、どんどん棄てていく方向に働きかけるほうがはるかに未来性があるし、近道だと思いますね。リアルタイムとしても、近道だと思っています。

それを今さら軍隊を認めようなんて——でもそうなる可能性はずいぶん多いですよ。今度選挙をしなおしたらとか、自民党が憲法改正案を出してきたらとか、それで国民投票をしてみたらとか、そうなる可能性はずいぶん多いと思います。でもそういうことにめげないで、本質はオクターブのちがうところにあると考えるのが僕は近道だと思いますね。

（吉本、一九九一年講演「農業からみた現在」質疑応答）

憲法九条は「国権の発動たる戦争と武力の行使は、永久にこれを放棄する。陸海空軍その他の戦力は、これを保持しない。国の交戦権は、これを認めない」と謳っている、いわば世にも不思議な「世界中で通用するはずがないよ」といわれてもしかたないとてつもない条文になっている。今回の戦争で、「やってしまえ」という空気が充満しているなかで、九条の条文は風前のともしびになっている。案の定、岸田内閣は「先制的な敵基地攻撃能力の保有」を自分たちだけで「閣議決定」して決めてしまった（十二月十六日）。愚か者たちは、いつでも「先制攻撃」できるようにしてしまったことを意味する。敵が先に動いたというのは主観に属するからだ。

リアルな一面から見れば、「戦力を持たない」という条文は空論で、青臭い理想をいってみるだけの「奇人変人」のたわごとだといわれてもしかたがない、そのことを前提に置かないと論議は始まらないのだと吉本は述べている。そして、「国権の発動たる戦争を永久に放棄する」という憲法条文は、空論だといわれようと、「奇人変人」だといわれようと、ただ黙って「そうかもしれない」というようにうなずいているほかはない、通じるわけがないからだ、といっているようにみえる。そして同時に、そこに吉本がいわんとすることが秘められている。どこでこの憲法九条が成り立つのかといえばイメージとしてだけだ。しいていえば「理想社会のイメージ」だ。気が遠くなるような「迂回路」だが、現実に通じようと通じまいと観念のうちでイメージが成り立っていれば、それは現実において成り立つことと同じなのだ。

――④

人間が何ごとかをいわねばならないまでにいたった現実の与件と、その与件にうながされて自発的に言語を表出することのあいだに存在する千里の径庭を、言語の自己表出（Selbstausdrückung）として想定することができる。

（『言語にとって美とはなにか』一九六一年初出、「試行」1号、勁草書房版から引用）

「自己表出」とは、「人間が何ごとかをいわねばならないまでにいたった」状態から実際に「自発的に言語を表出する」までのあいだにある「千里の径庭」のことだとかかれている。いったい、この「千里の径庭」のあいだに何があったのか。このあいだにあったのは痛切な「沈黙」だ。そして繰り返し言葉を発しても「通じない」という意識にさいなまれ、「通じない」という意識に押し戻され、あるとき自分が自分によって阻まれていた意識がある水準を超えたとき、発せられた有節音がイメージをむすび、自己と他者にとって存在（意識的な現実）となったのである。

有節音はそれを発したものにとって、自己をふくみながら自己にたいする存在となりそのことによって他にたいする存在となる。反対に、他のための存在であることによって自己にたいする存在となり、それは自己自体をはらむといってよい。

（同前）

音声（言葉）が発せられるまでの「千里の径庭」が自己表出といわれ、音声（言葉）が発せられたあとにたどる（発せられた言葉が発した人間を離れたあとに存在となって自己と他者に作用する）言葉の自立的な展開、それらの全過程が、人間が自己を動物から隔てている唯一の根拠であり、現実的反射を超えて意識を意識的に発せられるようになったとき言葉が「発生」したのだとかかれている。なにごとかを言おうとして「通じない」という意識に阻まれ、「千里の径庭」を経て搾り出すように発せられた「有節音」を「理想社会の像」に置き換えてみる。この「理想社会の像」は自己をはらみ自己に対する存在となり、他に対する存在となって必然的に発した人間を離れ揺るぎない現実となってゆくだろう。

人間が動物から自分を区別して人間になったことと同義である「言葉の発生」が、類として人間の「不可避」な過程だという吉本は、この創見の背後で、その「不可避」な過程は人間にとって幸であるか不幸であるかはわからない、自分を拘束するものをつくってしまったのではないかという「悲哀」もまた、同時に云わんとしているように思える。

——⑤

憲法九条は「国権の発動たる戦争を永久に放棄する」と謳っている。今から七、八十年も前に、とてつもない理想主義者たちがつくったこの憲法は、誰がつくったのかではなく、永遠のしんりに触れていることだけが重要なのだ。「戦争」は「国権の発動」によって始まり、「国権」の意思如何によって終始し、地域住民の意思とは無関係であるという永遠のしんり、「戦争」は地域住民にたいする究極の抑圧だという永遠のしんりに触れていることが重要なのだ。つまり憲法九条が愚か者たちによって、「奇人変人」のたわごとだといわれようと、青臭い理想だといわれようと、それはどうでもいい、ただ自分の沈黙の中で「理想社会」がイメージできていればそれで完結しているし、誰もないがしろにできないのだということになる。

もう半世紀も前に、わたしは左翼党派に属していたことがあった。存続していることの根拠もなく存続していた末期のころ、リーダーの一人が私的な些事で同輩たちからなじられて離脱し、そして吉本のもとに駆け込んだ。わたしの推測では、吉本は彼にアドバイスを送り、シンパシーを寄せ、励まそうとした。それからしばらくして品川公会堂で「情況の根源から」と題した「吉本講演会」が開催された。一九七六年六月のことだ（『ほぼ日』に誰でも聞ける音源が残っている）。残された党派の内部では、「逃亡した指導者をゆるすな」「自分たちをどうしてくれるんだ」というお決まりの憤怒が湧き起こった。まるで三角関係みたいに、離脱した「指導者」への憤怒が吉本への憤怒に変わっていった（わたしは吉本に心酔していたから混迷の底に突き落とされた）。馬鹿げた話だが、誰が誰と手を組んだとか組まなかったとか、誰が誰を支持したかしなかったかということが、わたしたちの存在を揺さぶったのである。そしてわたし（たち）は品川公会堂まで出かけ「吉本講演会」を妨害しようとしたのである。つまり、こんなことで「人殺し」さえ実行しかねない寸前までわたしたちは追い込まれた。なぜ実行しなかったのかはわからない。ただ「契機」がなかったからだ。

唐突で大袈裟に見えるかもしれないが、わたしたちの党派が吉本と遭遇して崩壊した過程、あるいはわたし（たち）が政治党派から離脱した過程は、トロツキーがスターリン・ロシアから追放された情況、今回のプーチン・ロシアが軍事侵攻に至った情況と相似だ。いずれも孤立無援になり追い詰められて「ほかに選択肢はなかった」というように踏み出していく、その「確信の確信」にはウソがあるのではないか、自分で気づかないだけで、自分は外側から「暴徒」にすぎないと見られているのではないかということだ。そして、自分の愚かさに気づき、自分が自分を外側から視ているように捉え、「政治的な僧院」から「離脱」することができれば、すべては慰藉されてしまうだろう。

――⑥

すべての「芸」と名のつくものは「永続」と「瞬間（その場かぎり）」のあいだに仕えている。だが人間を集団として形成される「社会」にたいしては「芸」は無用であり、「芸」にたずさわる者は無用の長物である。

これはまた愚か者を国の政治責任者に択んだりする理由でもあると思う。人間は個人としては自己慰安を求める動物だが、「社会集団」の塊としては「有用さ」を求めるのを第一とするからだ。

（吉本『中学生のための社会科』二〇〇五年刊）

社会集団は有用さや有効性、機能論理を第一とするから、個人の芸術は社会にとって「無用の長物」に見えるかもしれないが、それはまた、「愚か者を国の政治責任者に択んだりする理由でもある」と述べられている。二年ほど前、時の「総理大臣」が病気になって検査するというので黒塗りの高級車を十数台従えて病院に入っていく映像が報道された。自分を「偉大だ」と勘違いした「総理大臣」が、「総理大臣」が偉大だと勘違いした大の大人である高級官僚たちにかしずかれている映像だ。これは喜劇だと気づいていないことが喜劇なのだ。

吉本は、社会集団（集団を至上物とする社会）と個人（個人を至上物とする個人）は対立するものとして捉えているというよりも、個人の内部で、社会的存在としての自分と個人としての自分（本来の自分）の二重性に分裂したものが自身の内部で乖離し矛盾をきたしているのだと云っているようにも読める。だから、個人はあるときは社会集団の一員として「愚か者」の為政者を支持してみたり、あるときは「自己慰安」に傾く本来の自分に戻って、「愚か者」を支持する自分を否定してみたりしている。同一人物が二つの顔を持っているというわけだ。他を押しのけて自己の利益に走ることは、社会集団の一員として是認されている。わたしもそれをやって時折りハッとすることがある。

「社会集団」の一員としては、憲法九条の「武装力の放棄」は「奇人変人」の極点であり、強固な「集団的自衛権」や「軍事同盟」に傾いていく。同盟を組む国家はどんな新兵器・軍事力を持っているか、お互いが値踏みしている。その頂点は「核武装」であり、「核の傘」の下にいち早く加わることだというように、大勢は傾いてゆくだろう。そのことに時折り曖昧な異論をはさみながら、異論は消えていくだろう。なぜならば、「自己慰安」としての自分は社会では「無用の長物」であるほかはないし、憲法九条は「奇人変人」のものとして社会から排除されてゆくからだ。世界は「核武装」を頂点とする軍事バランスに向かって危うい「秩序」を収斂させようとしている。それが「赤信号、みんなで渡れば怖くない」というように終末に向かっていることを知りながら誰も指摘しようとしない。自分で自分の首を絞めることと同じだということに気づきながら、誰が先にこの危うい虚構の世界秩序から脱するのか、お互いが顔色をうかがっている。先に動いたほうが負け、進むも地獄、退くも地獄、これが薄板の上にかろうじて成り立っている「平和」の実相なのだ。私たちにできることは、秩序から容易に脱けることもできず、自分で自分の首を絞めることにしかならない、進むことも退くことも絶対的に不可能である「現在」を超出してゆくイメージをつくることだけだ。

吉本はいくつかの共同規範（特殊集団の利益ではなく万人の利益に資する共同規範、個々の内発性に基づく共同規範）が現存の社会で共有されれば、「理想社会」に至るみちすじを社会自身がおのずからつかむはずだとのべている。ひとつは、国家の政治委員会は「労働者・市民・大衆」の「直接無記名投票」によってリコールできること、国家の軍隊・武装力・警察力は「労働者・市民・大衆」の直接の合意なくしては動かせないという装置（共同規範）をつくること、もうひとつは「労働者・市民・大衆」の不利益・障害となるときのみ「生産手段」を社会的所有にすること。これらの共同規範が大多数のうちでイメージとして定着することが、その端緒になるだろうと随所でのべている。

―――⑦

この本のなかで著者トロツキーのナイーヴで繊細で、やさしい情操とはうらはらに、恐怖を感じさせる側面があって、この自伝にちぐはぐな印象をあたえている。それは軍事指導者として「革命軍事会議長列車」に司令部をもうけて転戦してあるくトロツキーの姿だ。自伝のなかでかれはその体験をふまえて書いている。「軍隊は、上からの抑圧なくして編成することはできない。また統帥部が兵器庫に死刑の道具を持たずして、人民大衆を死の途につかせることはできない。おのれの技術的成果を誇る、邪悪な、尻尾のない猿同然の、人間という名の動物が、軍隊を組織し、戦争を行なうかぎり、統帥部は、前線での死の可能性と後方での死の不可避性との間に兵士を立たせざるをえないであろう。だが、だからといって軍隊は、恐怖にそって創設することはできない」。これははっきりとしたトロツキーの言明だ。この個所はなぜかわたしには金切声をあげたような、嫌な、乾いた印象をあたえる。かれのこの考えはふえんすれば政治的僧院（党）は上からの抑圧と死刑の武器がなくては民衆の前衛部をつくり、民衆を死におもむかせることができないといっていることを意味する。いいかえればレーニンやトロツキーの考えがスターリンと等価なところにおちこんでゆく経験的な価値観が語られているといっていい。この記述はいたるところでトロツキーの自伝にちぐはぐな分裂した印象を与えずにはおかないものだ。つまり革命家というものは革命を遂行することを第一義とする主観的な知識を指すので、民衆をすべての意味で解放することを第一義とする普遍的知識をいうのではないことを、あらためて実感させるといっていい。トロツキーはじぶんでいっているようにたんなる革命家なのだ。あるひとりの個人が、ひとつの歴史的な事態にたまたま生涯を偶然に遭遇させ、なみはずれておおきな歴史の揺さぶりをうけて、なみはずれておおきく特異な資質をつくりあげた。それは歴史の工房が一時期に造りあげた偉大な、そして特異な作品なので、鑑賞するほかにわたしたちがやることは何もない。

（吉本隆明「書評『トロツキー自伝』」一九九〇年初出）

吉本はここでトロツキーの、のちのスターリンたちと変わりない、嫌な、金切り声を上げたような「恐怖を感じさせるような」一面に触れている。不可解なことに「トロツキーのナイーヴで繊細で、やさしい情操」と、それは無矛盾だ。革命を成就させるために兵士たちを死地に赴かせるには「死刑の道具」が必要だ、これは兵士たちが命令に背いて逃亡しないように後方で銃を構えて監視し、敵前逃亡・投降する兵士たちを射殺する装置が革命の「統帥部」には不可欠だということを意味している。トロツキーは少し勘違いしている。偶然と時代が自分を、無名の兵士たちを死地に就かせる「統帥部」に押し上げたかもしれないが、自分が有名の「統帥部」であることを無化できずに自分を「偉大」だと勘違いしたのである。そして、「統帥部」があるから兵士たちは「凶暴性」を発揮して果敢に戦うのだとどこかで勘違いしたのだ。

この「死刑の道具」は古今東西のあらゆる「軍隊」と表裏一体となって存在している。味方兵士に銃を向け監視する「統帥部」は不可欠だということに疑いを持たないことが、スターリンたちの「神聖労働者国家」からトロツキーが思想として離脱できなかった主因だ。恐怖政治を前面に押し立てて支配した（偉大な）スターリンたちと同じ場所に無矛盾で落ち込んでいったのである。（偉大な）トロツキーたちは政治権力の奪取と同時に政治権力の解体を視野に入れなければならなかった（革命の軍隊の創立と同時に軍隊の解体のみちすじを視野に入れなければならなかった）が、なすすべもなかったのである。というよりもそのことが誰にとっても未知だったのである。

戦争では、眼前の敵から追い詰められ、背後の味方から追い詰められている。このとき、契機さえあれば人は、そうしたくなくても、いともたやすく「百人、千人を殺してしまうこと」がありうる、これに例外はない、これを回避することは誰にもできない、と吉本はのべている。意思によってこれが回避されると考えるのは間違いだ。進むも死、退くも死の絶対的懸崖に立たされているのはありふれた大衆である兵士たちだ。彼らが相互扶助のぶあつい情緒に包まれていればいるほど、「ゆきすぎた凶暴性」を発揮するかもしれない。人間なのに人間ではない、悪鬼に苛まれた亡霊のように「百人、千人」を殺して（殺されて）しまうこの絶対的懸崖から「離脱」するみちすじをイメージできるか。吉本になぞらえていえば、目に視えない「時代という作者」がつくる悲劇の物語の登場人物である無名の個々が、目に視えない作者がつくろうとしている物語に背いてしまえばいいのだ。

（つづく）

森鷗外の『カズイスチカ』と父の話

伊川龍郎

1

吉本隆明の『父の像』で、『カズイスチカ』という森鷗外の短編が取り上げられている。おもしろそうだったので読んだ。調べると題名のカズイスチカとは臨床記録という意味だそうだ。小説の背景には自身が医師であった鷗外の父の思い出があると思われる。町の開業医である父は翁《おきな》と呼ばれ、鷗外自身を投影した息子は花房と呼ばれている。

（自然と姿1）

火事にも逢わずに、だいぶ久しく立っている家と見えて、頗る古びが附いていた。柱なんぞは黒檀のように光っていた。硝子の器を載せた春慶塗の卓や、白いシイツを掩うた診察用の寝台が、この柱と異様なコントラストをなしていた。

この卓や寝台の置いてある診察室は、南向きの、一番広い間で、花房の父が大きい雛棚のような台を据えて、盆栽を並べて置くのは、この室の前の庭であった。病人を見て疲れると、この髯の長い翁は、目を棚の上の盆栽に移して、私《ひそ》かに自ら娯しむのであった。

（森鷗外『カズイスチカ』）

父の居宅と父の姿が一瞥された描写だ。言葉の繰り出しは早すぎず、輪郭の中で細かな視線の切り替えがある。それで「私かに自ら娯しむ」父の姿が〈自然〉のテンポにのって表れるのだ。医学を学ぶ息子は休暇に家に帰ると父の代診をやる。

〈自然と姿2〉

待合にしてある次の間には幾ら病人が溜まっていても、翁は小さい煙管で雲井を吹かしながら、ゆっくり盆栽を眺めていた。

午前に一度、午後に一度は、極まって三十分ばかり休む。その時は待合の病人の中を通り抜けて、北向きの小部屋に這入って、煎茶を飲む。中年の頃、石州流の茶をしていたのが、晩年に国を去って東京に出た頃から碾《ひき》茶を止めて、煎茶を飲むことにした。盆栽と煎茶とが翁の道楽であった。

この北向きの室は、家じゅうで一番狭い間で、三畳敷である。何の手入もしないに、年々宿根が残っていて、秋海棠が敷居と平らに育った。その直ぐ向うは木槿の生垣で、垣の内側には疎らに高い棕櫚が立っていた。

（同前）

長い年月をかけて固執されてきた父親の時間を描いている。老翁は判で押したように日に二回休憩を定めて、待合室の患者の前を素通りして小部屋に入ってしまう。そこでゆっくり煎茶を楽しむ。近隣の人たちをずっと診療してきた老医者は、煩雑さから離れたいとき、ここにこもってしまう。このぼんやりとする父を描いているのは、鷗外の〈父〉に対する優れた保存の仕方だ。

（父の知識と所作）

翁の医学は Hufeland《フウフェランド》 の内科を主としたもので、その頃もう古くなって用立たないことが多かった。そこで翁は新しい翻訳書を幾らか見るようにしていた。素《も》とフウフェランドは蘭訳の書を先輩の日本訳の書に引き較べて見たのであるが、新しい蘭書を得ることが容易くなかったのと、多くの障碍を凌いで横文の書を読もうとする程の気力がなかったのとの為めに、昔読み馴れた書でない洋書を読むことを、翁は面倒がって、とうとう翻訳書ばかり見るようになったのである。ところが、その翻訳書の数が多くないのに、善い訳は少ないので、翁の新しい医学の上の智識には頗る不十分な処がある。

防腐外科なんぞは、翁は分っている積りでも、実際本当には分からなかった。丁寧に消毒した手を有合せの手拭で拭くような事が、いつまでも止まなかった。（同前）

息子から見ると父の医療の知識や習慣は古式で「用」をなさない。息子は最新医学を学んでいる。この時代の若い専門家は明治期に劇的な欧化の流れを、先端の位置で浴びていた。もちろん父親もかつては緒方洪庵などの翻訳書で学んできた開明的な医学の徒であった。しかし近世の日本に大きな影響を与えた蘭学経由の医学水準は本国でも何層にも塗り替えられてきたことを、医学の徒である息子はわかっている。そして父もまたあるわかり方でわかっているが、年老いた町医者の医療が先端知識を学ぼうとしている者に軽んじられるのは常識的なことだったに違いない。「防腐外科なんぞは、翁は分っている積りでも、実際本当には分からなかった。丁寧に消毒した手を有合せの手拭で拭くような事が、いつまでも止まなかった。」と老いた父を見る息子の実感が吐露されている。しかし父親が「この病人はもう一日は持たん」と言うと決まってそのとおりに患者が死ぬ。「それが花房にはどう見ても分からなかった。」と書いている。古いなあという父への実感から視線を一旦ひっこぬいて中和し、けっして及ぶことができないという認知につなげている。ここから息子の自己省察が始まる。

（息子の内省）

何をしていても同じ事で、これをしてしまって、片付けて置いて、それからというような考をしている。それからどうするのだか分からない。

そして花房はその分からない或物が何物だということを、強いて分からせようともしなかった。唯或時はその或物を幸福というものだと考えて見たり、或時はそれを希望ということに結び付けて見たりする。その癖又それを得れば成功で、失えば失敗だというような処までは追求しなかったのである。（同前）

この不安定な安定ともいえるものを呼吸している若い自意識は、当時もいまも一般的に共通しているかもしれない。しかしそれ以上に、文明開化を進める明治期の激動を他に選択肢もなく受け止めるしかなかった当時の知的青年の思想だともいえる。『カズイスチカ』が「三田文学」に発表されたのは一九一一（明治四十四）年で、ほぼ同時期には夏目漱石は『それから』『門』などを発表している。近代的学制は明治五、六年に施行・実施され、明治二十年代には学齢児の就学率が五割に達した。さらに四十年代には男女ともに九割を越えている。この速度は工業振興と並走して、ある場合上回って、アジア的な骨組みを脱臼させたような新感覚の持ち主を大量に生み出したはずである。この「分からない或物」は都市を中心に知識の蓄積と展開にも与った。もちろんこういう時代の転換を鷗外、漱石は鋭敏にかつ重く感受し作品に引き出したのである。息子の述懐として「しかしこの或物が父に無いということだけは、花房も疾くに気が付いて、初めは父がつまらない、内容の無い生活をしているように思って、それは老人だからだ、老人のつまらないのは当然だと思った。」とある。この「分からない或物」は鷗外初期の作品『舞姫』（明治二十三年）に出てくる「ニル、アドミラリイ」（無感動くらいの意味）と同じで、一種の視線の中和化のことだと思う。意味を付けたい心理の振れを止めてしまうことだ。これがあるかどうかは父と子の物語に断層を入れたと認知されている。

　花房はそれを見て、父の平生を考えて見ると、自分が遠い向うに或物を望んで、目前の事を好《い》い加減に済ませて行くのに反して、父はつまらない日常の事にも全幅の精神を傾注しているということに気が附いた。宿場の医者たるに安んじている父のrésignation《レジニアション》（あきらめ――注）の態度が、有道者の面目に近いということが、朧気ながら見えて来た。そしてその時から遽《にわか》に父を尊敬する念を生じた。
　実際花房の気の付いた通りに、翁の及び難いところはここに存じていたのである。　（同前）

「宿場の医者たるに安んじている父」という画像の裏で、毎日の苦楽を繰り返しながら、軽重と無関係に内外の対象に向かって真剣に向き合う姿が確かにそこにある。それは主観の問題とは違う。父には運命による待遇についての断念があって、それが日々を貫く父の生の態度を支えている。そこが「及び難い」という息子の嘆息をひきだすのだ。

2

この後三つの挿話が始まる。一つ目は「落架風」、二つ目は「一枚板」、三つ目に「生理的腫瘍」と続く。これらタイトルは公式のカズイスチカ、臨床記録としては役に立たないが、医者でもない普通の人達がこう名付けるのももっともだと花房、あるいは鷗外が考えたのである。あるとき妹が外から駆け込んでくる。恐ろしい容貌の者が来たと言う。そこに顎の外れた息子が母親に連れられてきて、どの医者も直してくれないと嘆いている。翁はやってみてごらんと言って息子に対応を任せる。息子は状態を見て難なく顎を入れて治してやる。それを見て父は、解剖の勉強をしただけのことはあるなと言う。母子が泣いて喜んで帰った後続ける。

「下顎の脱臼は昔は落架風と云って、或る大家は整復の秘密を人に見られんように、大風炉敷を病人の頭から被せて置いて、術を施したものだよ。骨の形さえ知っていれば秘密は無い。皿の前の下へ向いて飛び出している処を、背後《うしろ》へ越させるだけの事だ。学問は有難いものじゃのう」（同前）

老医者は息子の処置を昔ばなしに結びつける。臨床行為が変換される様を言っている。花房が暑夏の休暇で帰っていた時のこと。倅が「一枚板」になったから見てもらいたいと百姓が駆け込んできたので、翁は息子に見てやる気があれば行って来いと言う。「一枚板」としか言わないので見当がつかないがこの言葉におもしろみを感じて往診することになる。

三時頃に病家に著いた。杉の生垣の切れた処に、柴折戸のような一枚の扉を取り付けた門を這入ると、土を堅く踏み固めた、広い庭がある。穀物を扱う処である。乾き切った黄いろい土の上に日が一ぱいに照っている。狭く囲まれた処に這入ったので、蝉の声が耳を塞ぎたい程やかましく聞える。その外には何の物音もない。村じゅうが午休みをしている時刻なのである。

庭の向うに、横に長方形に立ててある藁葺の家が、建具を悉くはずして、開け放ってある。東京近在の百姓家の常で、向って右に台所や土間が取ってあって左の可なり広い処を畳敷にしてあるのが、只一目に見渡される。（同前）

郊外の乾ききった土の上に日の光がいっぱいに照っているその暑さ。蝉はやかましいが、村の者はみな昼休みをしている時刻でそれ以外物音がない。農村の昼時の様子を一瞥してから視線は藁葺の家の中に入っていく。病人は板戸の上に寝かされ、その周りを家族が涅槃図のように取り巻いている。ここでも精度の高い視線が描いている。花房が部屋の内に入ろうと段差を越えかけたとき、「一枚板」の上の患者がびくんと飛び上がったのでとっさに動作を止めて、それからゆっくり部屋の中に入り、すぐに破傷風だと診断する。患者は身体が硬直してしまっていたのだ。それに続く。

これは学術上の現症記事ではないから、一々の徴候は書かない。しかし卒業して間もない花房が、まだ頭にそっくり持っていた、内科各論の中の破傷風の徴候が、何一つ遺《わす》れられずに、印刷したように目前に現れていたのである。鼻の頭に真珠を並べたように滲み出している汗までが、約束通りに、遺れられずにいた。(同前)

花房は自分が学んだばかりの内科各論に記された徴候と目の前の「一枚板」の病態を比較している。そして「一枚板」とは実に簡にして尽した報告である。知識の私に累せられない、純樸な百姓の自然の口からでなくては、こんな詞の出ようが無い。あの報告は生活の印象主義者の報告であった。」とまとめる。破傷風の少年は鎮静剤をびっくりするほどたくさん飲んでやがて治癒した。
最後は花房が「生理的腫瘍」という名をつけた挿話である。

秋の末で、南向きの広間の前の庭に、木葉が掃いても掃いても溜る頃であった。丁度土曜日なので、花房は泊り掛けに父の家へ来て、診察室の西南に新しく建て増した亜鉛葺の調剤室と、その向うに古い棗の木の下に建ててある同じ亜鉛葺の車小屋との間の一坪ばかりの土地に、その年沢山実のなった錦茘支《れいし》の蔓の枯れているのをむしっていた。（同前）

挿話の小さな入り口だが無駄ではないように読める。それも語り手の落ち着いた視線による。晩秋だということを「木葉が掃いても掃いても溜る頃であった」とするのは、素通りする手前で手を使って、価値を加えているのだ。腹痛を訴える女がやってきている。二三の医者にかかって脹満か癌かと言われて来た。花房はにがうりの枯れた蔓をいじっていた手を洗って女に聴診器を当てたり臍のあたりを触診する。その結果「腫瘍は腫瘍だが生理的腫瘍だ」と判定して父の助手を驚かせる。聴診器をあてれば、女の心音以外に胎児の心音が聞こえる。つまり妊娠したということだ。他の医者たちは子宝を授からないからと離婚させられた女だということで看過したのである。後日談として「この女の家の門口に懸かっている『御仕立物』とお家流で書いた看板の下を潜って、若い小学教員が一人度々出入りをしていた」という噂を書き加えた。

〈父―子〉の物語は母型に差し込まれた影のように登場してくる。漱石の『夢十夜』『道草』などの作品では出自の薄暗さと罪責感をともなっている。芥川龍之介なら出自から飛躍した場所から思い出したくない存在だ。『カズイスチカ』はそれらと大きく異なっている。ここではその理由は鷗外自身が父親として自分を律して生きることを〈自然〉と思っていたことではないか。その〈自然〉とのいちいちのやりとりが描写を生きいきとさせている。知識から遠い患者たちにはそれぞれの対応の仕方の技法と蓄積がある。そしてこの蓄積に対応する言葉があることを興味深いと作品は（鷗外は）言っている。これらもまた臨床記録だという主意をこめて鷗外は「カズイスチカ」と名付けたのだと推理している。

〈父―子〉物語は、古事記ではヤマトタケルが勝利して帰るたびに父からまた戦いに行けと命じられて嘆いている。

戦国時代の武田信玄は父親を領国から追放した。武人の世界では父子の相克の挿話はあるだろう。武人にとって祖父も父も、そして自分もまた強大で立派でないとならないからだ。しかしそれは昔も今も部分的な話題でしかない。フロイトの名前と同時に伝えられたエディプス複合は、否定性についての特殊西欧的な面が強いのではないか。日本列島住民の場合は、たぶん否定性と〈父―子〉物語が結びつくことは少ない。もともとそうだし、今後はますますそうだ。たまたま見たテレビで母キツネが子ギツネを育てる場に父ギツネの姿がない。少し離れたところまで時々来て確認するとまた去っていく。あるとき車のよく走っている道路で子ギツネたちが遊んでいると、どこからともなく父ギツネが現れた。ここは危ないぞと警告しているのか、子たちを追い払ってまた姿を消す。こういう見方はこちらが人間の童話を当てはめて見ているだけかもしれない。父とは何か？　主に習慣と習俗と個別の関係の間の障害と回復への関与の問題だと思う。その前に直接性としての母―子の物語は世界―個の幻想を半分以上完成させてしまう。それが病態として転じたとき本体は遠く無意識の奥に潜在化している。今は妊娠時に奥さんをどれだけ安心させられるか、生まれたら家事や育児をどれくらいやれるか、どれだけ楽しく子どもと遊べるかの選択の連続に〈父―子〉物語の失敗も成功も挟まっていて、いずれにしても消滅する。このイメージの全体性に拮抗できるのは、鷗外で言えば老翁が一服してお茶を楽しんでいる姿だと思う。

3（付けたり）

いとこたちの集まりで酒が適度に進んだころ気分がよくなった兄（二人兄弟で五歳上）が、お前は親が育てるのに手こずったと言い出した。こちらは反論する根拠もないので笑うしかない。たしかに頑固なきかん坊でよくゲンコツをくらい、母にはマッチでお灸を据えられた。こちらの幼児的世界では内側が沸騰しているだけで、その瞬間以外はぼんやりと自足していたのだが、親兄弟の見方というのはあるだろう。

こんなことがあった。家族四人で出かけて帰りが遅くなった。玄関前に着いた途端にぼくは〝今夜は風呂だと言ってた、お風呂入る〟と言い出してきかない。疲れて早く休みたい母も父も兄もうんざりしきっている。腹を立てた父親はそんなにわがまま言うならと、風呂場に連れていかれて裸にされて、水風呂に入れられた。その後どうしたか覚えていないがともかく寝ていると父親がやってきて、上から布団を何枚もかけながら、風邪ひかないか、大丈夫かと言っていた記憶がある。もう父は呆れたのを通り越して心配になったのか。この一連の流れにどこか不思議な点がある気がしてならない。

もう一つ。幼稚園に行く朝、父親が今日は寒いから長靴下をはいていけと言う。長靴下の大嫌いなぼくは嫌だといったがだめだと言う。結局言うことを聞いて幼稚園のバス乗り場へ向かった、と思った。家に帰ると親父は真っ赤な顔をして、どうして言うことを聞かなかったんだと憤怒の絶頂である。ぼくは言うことをきいたと返すが効果はない。事実は、ぼくの思い込みか父親の思い込みか、どちらかだ。ただ言葉が到達しないという残念さだけが残った。幼児は胎内から一部引き継いだ内閉性を持っている。思い込みの世界の中では真はこれで、外に不可解な現実の時空があることに気づいていないとき、自足して満ち足りている場合もある。

父は酒には寛容だった。小さい頃おちょこに一杯「飲むか?」と聞く。ぼくは喜んでもらう。毎年夏休みには家族で花火を見に西武園に行った。母は弁当を作ってきて、男は生ビールを飲んだ。まだこちらは中学生になったくらいの時期である。兄といい気になってお代わりしたがやめろと言われたことはない。今お酒もタバコも二十歳まで禁止とまじめな顔で言う風潮があるがつまらないと思う。父は理科の教師の文学好きで若いときは絵かきになりたいと長兄に相談したがだめだと言われて、大学在学中に戦争に出会い、中国に連れて行かれたがすぐに病気になって病院に入ったらしい。敗戦の詔勅が流れたときには庭に飛び出して泣いたとおじさんが言っていた。結核で大手術をやったので背中に一刀切りされたような傷があった。それで健康に注意してカンプマサツなるものにつきあわされたり、毎朝鼻に水を通したりと不可思議な習慣があった。酒は良いものだという確信があったと思う。毎日の晩酌を楽しんでいた。深酒をすることは稀だった。そのいい教育方針の甲斐あって順調に育ったぼくは新年に親族が会う時は、たっちゃんはいける口だねと、おじおばたちに面白がられた。なにか集まりがあれば子どもも酒を飲むと言う習俗は古くからあったと思う。酔っ払って失敗したら年長者が面倒を見ただろう。

親父はよく杜甫やボードレールの朗読、シューベルトの歌曲などをレコードで聴いていた。おふくろによれば、小さいぼくは父の後ろで静かにして聞いていたらしい。中学高校は父が創立時から教師をやっている六年制の学校に、兄弟とも行くものだと思って行った（共学に行けばよかったと後から思った）。中一のときに兄は高三でしかも優秀だった。そのため小さいころ遊んでくれた教師に呼び出されてきちんと勉強しろと説教されたときは、うるせーあんたの授業がつまらないんだよと内心思った。修学旅行のこと。仲間がタバコを吸ったのがバレて訓戒を受けた後で、そいつが校長（親父のこと）の息子（ぼく）も吸ったと親に告げ口した。それはかまわないのだが、その親が職員室に、オタクの学校は臭いものにフタをするのかと激怒のクレームをつけてきた。ぼくは校長室に呼び出されて机を挟んで親父に訓戒を受けた。横にいた担任も変な感じだったと思う。家では話に出なかったし、帰宅した後も何も言わなかった。息子の告げ口でかっとなって職員室にクレームをつけた親父よりかっこいい。たぶんぼくは救われたのだ。

後年、がんに罹っていよいよ持たないとなったときの晩のこと。ぼくが病室に泊まっていた。夜中に病室の外で人が通っていく音が聞こえた。そのとき、親父が聞こえるか聞こえないかの声で言い出した。オマエハ大丈夫ナノカ、医者ニミテモラエ。半分くらいボケている。小さい頃弱くて病院に厄介になることが多かったため、それを思い出したのだろう。ぼくは大丈夫だよと言って済ませた。翌日息を引き取った。人のことを看護する側にいて油断しているが、お前こそ大丈夫なのか？　と告知したのだと思っている。何かと悪いところが似ている気がするが仕方ない。もう少し話をすればよかった。

南島村内法に関する一考察 ②

井谷泰彦

一 〈躓きの石〉としての沖縄

私たち内地人（ナイチャー）にとって、沖縄は躓きの石である。そう言わざるをえない何かが沖縄にはあると思う。下手に沖縄を語ろうとすると大火傷してしまうような危うさがそこにはある。大法螺や膠着した思想、自分の空疎な願望を投影したとしか思えない言説に満ちている。もちろん、私自身がその胡散臭さから逃れることができているとは思っていない。土着へと向かう私の視線も、いつも怪しい場所で揺れている。聞いた風なことを語るのはやめよう。「沖縄のことはウチナンチューに委ねる」、今の自分にはそれ以上のことは何も言えない。

たとえば今、基地移設問題で揺れる辺野古のことについて、私が語りうるのは「聞き書き」で教えられた次のような話だけである。戦前、辺野古周辺の海は沖縄で最も豊かな漁場の一つだった。その漁場を糸満漁民に貸して、その上がりで字民たちは豊かな生活を営んでいた。戦後になって米軍の基地が作られ、その工事で大量の労働者が集落に来てそのまま定住した。小さな集落に劇場や映画館、喫茶店などができてシマは繁栄した。そして、古くからこの集落に住む字民と、新しくやってきた居留民の間には大きな溝ができ、今でも基地反対派と賛成派の対立に微妙な影を落としているという。私はその字民たちの生活史の陰影の前で、ただただ立ち竦む。

私たちナイチャーにとって、沖縄はいつも躓きの石であった。今にはじまったことではない。沖縄返還前後、本土の若者たちもまた沖縄に躓き続けた。私が京都の高校生のときの話だ。ただのナショナリズムの発露にすぎない「沖縄奪還」だの、取り敢えず言ってみるだけという感じの「復帰反対」、更には自らの空想的願望の投影でしかない「沖縄独立」だの「沖縄解放」だの、いつもは難しそうなことばかり言っている新左翼諸党派は沖縄に絡まると馬脚を現した感があった。

最初に断っておくが、私は所謂「全共闘世代」の人間ではない。だが私が高校・大学と過ごした京都の地では、内ゲバが相対的に少なかったせいもあり、七〇年代半ば頃まで一応運動らしきものは残っていた。しかし、私がその時代のことを語ろうとすると、何を言っても嘘になるところがある。闘争の端緒から高揚期を経て、総括や後始末に至るまで一貫して主体的に運動を担うことを「闘う」と呼ぶのなら、私には闘争体験などない。しかし、全く無関係であったといえばそれもまた嘘になる。自分の卑劣さや虚勢、怯懦に向き合うことなしにその時期を振り返ることはできない。黙っておきたい恥部だが、先行世代の若者たちを悩ましてきた問題に言及するには、こちらの立ち位置を明瞭にしておく方がよいと考えた。

沖縄の本土復帰をめぐる混乱の中で思想家・吉本隆明の言葉は異彩を放っていた。「私は沖縄の本土復帰などという問題には何の興味もない。復帰しなければならないのは本土の側かもしれないのに」と書かれていた。しかし致命的なことに、私はその出典を探しあてられずにいる。だが、ほぼ同様のことが書かれた文献は探しあてることができた。

「沖縄の本土復帰などと、なにもわからぬくせに口にしないだけの節度はわきまえている。復帰しなければならないのは本土のほうであるかもしれないという歴史学的疑念を、私は失っていないからだ」（注1）

「復帰しなければならないのは本土のほうかもしれないのに」、最初この文章を目にしたとき、私はさっぱり訳がわからず、目が点になった。みんなが沖縄の現実の処方箋を語っているのに、吉本の言葉は空中をさ迷うようだと。しかし、年月が経つにつれて少しずつ分かりはじめた。新旧諸党派の言葉こそ全く現実性の無いものであり、吉本の言葉が遥かに大きな射程距離を持った現実的なものであることに気づきはじめた。「復帰しなければならないのは本土のほうかもしれないのに」という言葉だが、先ず「かもしれないのに」と断定しないところが一つのポイントである。断定してしまうと、政治的な意味に吸い寄せられる可能性がある。そして「本土が沖縄に復帰する」とはどういうことか。この言葉は、起源を考察することが未来を考えることに繋がるという、吉本思想の方法論を頭におくと理解できる言葉だ。即ち本土の言語や宗教、社会の在り方の原型を沖縄に求める柳田国男や折口信夫の系譜に、吉本隆明も連なっている。そして一万年以上に及ぶ歴史の中で、たかだか千三百年程度にすぎない奈良朝以降の在り方だけで日本の歴史や文化を語ることの狭さ、不当さを論じた。天皇制国家成立以前の長い歴史を包括して文学や歴史も語られるべきだと。この慧眼に接して私は解放感を覚えた。面白くないと思ってきた日本の歴史に魅力を感じるようになった。

注1　「島尾敏雄「琉球弧の視点から」」『吉本隆明全著作集9』勁草書房　一九七五年、二一九頁。

二　沖縄をめぐる迷走

私個人にとってもまた、沖縄は「躓きの石」であった。二〇〇六年五月、私は最初の著書『方言札の研究』を沖縄のボーダーインク社より上梓した。この出版は難産であった。最初に出版を予定していたのは某国立大学の出版会であった。本を出すように勧めてくれたのは、早稲田大学社会科学研究科の教授で歌人でもある内藤明先生だった。「他の大学院生と違ってあなたは年齢が年齢だし、今から学会発表を重ねて学会誌に投稿してという道を選んでも、大学教員になれる可能性はまずない。ならば本の出版を考えてみたらどうか」とサジェッションを貰った。

某国立大学出版会を紹介してくれたのは、別の大学の先生だった。「某大学の出版会で、優秀な修士論文を本にする事業をやっている。あなたなら選ばれる可能性があるから応募してみれば」と言って頂いた。二〇〇四年の話である。修士課程は修了したものの、博士後期課程の入試に落ちた私は、取り敢えずその出版会の門を叩いた。最初に「手付金」を二十万円ほど取られた。

「方言札」は、戦前の沖縄教育を語るにあたっての必須のアイテムだった。同化政策の象徴として、植民地主義教育の遺産として取り上げられ、論じられてきた。その規定を一面的なものと批判したのが私の論文の主旨であった。国や県の教育行政が「方言札」を作りだし、現場に強制してきたシステムではない。むしろ行政は早い時期からこの札を、「適切な指導方法とは言えない」と一貫して批判してきた。それは沖縄のシマ社会に根を張る「村内法」罰札制度の教育への応用であり、ひとつの「習俗」として二十世紀初頭から六〇年代まで学校社会に根を張っていた。しかし、元来が習俗である故に、使用方法も恣意的であり、子どもの世界では遊戯的に使用されることも多かった、と論じた。

しかし某大学の「指導」が始まって、徐々に話はおかしなものになっていった。最初に、「こんなものを本にする価値などない」と文句を付けてきた集団がいることを知らされた。論の中で私は進歩主義者に悪態をついてきたので違和感はなかったが、それなら最初から「合格したから出版支援をしてやる」などとGOサインを出さなければいいのにと思った。だが、この段階では文句も言わずに我慢した。そして論文を読むに耐えるものにするため、「言葉のカンナ削り」と称する徹底的な添削が行われた。論旨に一貫性を持たせて論理的なものにするために、大胆なカットも用いられた。その結果、文章は確かに読みやすい綺麗なものになっていったことを否定するつもりはない。

しかし、添削を二度三度と繰り返すほど、文章に対する要求も大きなものになっていった。私が言ってもいなことを挿入するように求めてくるようになった。「これはちょっとおかしいのではないか」と思い始めたのは、私の主張が捻じ曲げられ正反対のものに転化しつつあることに気づいてからだ。いつの間にか、沖縄民衆が差別されているが故に自ら本土語を求め、言語教育の過熱が起こっていったという指摘は削除され、方言札は強権的な植民地主義教育の所産にされていた。さらに、私が「拙い文章かもしれないが削除しないで欲しい。ここを削除されたら本を出す意味がないから」と懇願した文章が、何の説明もなくあっさりと削除された。超越的な大義（戦争や革命や『沖縄の躍進』）のもとに発語が否定されていくという光景が、政治体制に関係なくどこにでも見られることを取り上げた一節だった。それが第三者の眼から見てなんぼのものかという問題はともかく、著者の気持ちの全否定は到底納得し難いものであった。

思い余って、かつて同人誌でお世話になっていた「七月堂」の知念さんに、メールを印刷した紙を持って相談しに行った。彼女が「これは明確に著作権法違反ですね」と判断してくれた。私は即座に出版の中止を大学出版局に申し入れたが、そこで返ってきた答えは、「それならば今までの指導料を寄越せ。本を出す出さないの権利はこちらにある」というものであった。頭にきた私は友人に著作権を専門にする弁護士を紹介してもらい、電話とメールで相談して（会ってしまうと、たとえ友人関係でも金を取られる）解決を図った。

そんな時、現地で助け舟を出して頂いたのが、ボーダーインクの宮城正勝社長（当時）であった。宮城さんは快く出版を引き受けて下さり、元々の大学出版会の見積もり自体の杜撰さを指摘して下さった。総予算二百数十万円、そのうち百数十万円を井谷が支払い、残りの百万円を大学が出すというものだった。「この程度の冊数なら九十万もあれば本ができてしまう。この計算は一体何なのだろうか」と。今でも宮城さんには本当に感謝している。本当はここで大学名を挙げたいところだが、「今後、この出版については問題にしない」という念書を交わしたので、それはできない。

三　南島村内法の根源性

字自治を執行するための規範である村内法は、その起源を薩摩侵攻（一六〇九年）以前の古琉球の時代にまで遡ることができる古い法であるが、沖縄の歴史的事情、「旧慣温存期」と呼ばれる時期の存在によって、近代に入っても生き延びることとなった。「旧慣温存期」とは、琉球処分後も数十年間に亘り王府時代の施策を残すことを許容した時代のことである。

ここでは先ず王府時代の法体系を踏まえて、「村内法」について簡単に説明しておきたい。戦前までの沖縄民衆の日常生活を支配し、地域によっては戦後にまで大きな影響力を持った「村内法」の全体像を把握するには、その旧琉球王国における法体系を押さえておく必要がある。

近世琉球王国の法体系は、薩摩から強いられた「掟」、「琉球科律」や「間切公事帳」などの王府法、そして間切（琉球王国～明治期の行政単位）や集落（シマ）ごとに定められた「南島村内法」（または間切村内法）の三段階に分けられる（注1）。

第一の段階は、通常最上位の法とされる、薩摩藩が次々に布達していった法令（例えば一六一一年九月一九日付の「掟」十五箇条）である。この法令の存在のため、近世琉球王国が薩摩藩の傀儡王国と考えられることもあった。戦前沖縄の代表的知識人の一人である伊波普猷などはそう考えていた。島津家が琉球統治の安定を図ろうとしていたことは間違いではないが、それだけを見ていると「法の発布」＝「法の貫徹」という単純な理解になり、様々な事情から半独立国であった琉球王国の実態を見失うことになる。近年の研究では、そのような見方が一面的なものであることが明らかになっている（注2）。例えば、先述した「掟」十五ケ条によると、「女房衆に知行を与えてはならない」とあるが実施された形跡はない。もし実行されていれば王府の神女組織は壊滅していたはずである。また、薩摩で酔って暴行を働いた男に対し、薩摩藩は琉球に戻ってその国法で裁くように命じている。薩摩藩による

「掟」の発布は、表向きの建前論的な側面も大きい。前近代における国家の在り方に、近代西欧で成立した「独立」概念を用いて裁断することは、正確な実像を示しているとは言い難い。

第二の段階は、王府で発布された王府法である。「法式」（一六九七年）や「間切公事帳」（一七三五年）などもそれに該当するが、一七八六年に発布された刑法典「琉球科律」が最も代表的なものである。これは、清律（中国「清」の律法。本来、国外へ内容を漏らすことは固く禁じられていたが、琉球王府は留学生に密かに研究させていた。）四三六門のうち、一三章一〇三ヶ条を抜き出して、日本の法なども参考にしながら精緻な解釈を付けて発布したものである。法の執行は、王府の今でいう法務大臣と最高裁判所長官を併せた平等之側《ひらのそば》を最高責任者として平等所《ひらじょ》で行われたが、宮古と八重山には各々小与座《こくみざ》と呼ばれる地方裁判所が置かれていた。また、国家社会の安全を揺るがすような大事件に対しては、今でいう閣議にあたる評定所で裁いた（注3）。

そして、近世琉球王国の法体系のうち、三番目に挙げられるのが「南島村内法」である。前回冒頭で前述したように、南島村内法には間切ごとに決められる間切内法と村（シマ、現在の字）ごとの村内法に分かれ、中央政庁からの指令・通達の一体化した慣習法の体系を形成していた。そのため、南島村内法は「間切村内法」とも呼ばれることもある。

元来、その殆どが不文典であったので、その起源は明らかではないが、古琉球にまで遡る古いものであることは間違いない。琉球王国では、刑法犯は原則的には先述した琉球科律などの王府法で裁かれたが、民事は殆どこの南島村内法に委ねられていた。村内法は、「村締り」「村固め」などとも呼ばれ、原則として全住民が参加する「村揃」で基準を協議して決定した。それを「村吟味」と呼んだ。王府法よりもずっと古い自然発生的な法であるが、一八世紀には間切吏員と各シマで協議して執行されるようになった。自然発生的な掟を、王府や間切も利用するようになったということである。法は間切ごと、村（シマ）ごとに定められるゆえに、内容もそれぞれ異なっている。当然、間切ごとに定められる間切村内法よりも、シマごとに定められた村内法の方が自然発生的性格が強い。

その姿がほぼ明らかになっているのは、一八八五年（明治一八年）になって、県が各間切に内法の届出をさせてそれらが成文化されたからである。また、その年以降に民が届け出て成文化されたものもある。但し近代以前から成文化されていた例外もある。間切番所の厳しい管理と取締りがあったことで有名な杣山取締内法は一七五一年に、砂糖取締内法は一七九〇年代には成文化されていた。だが、成文化されたのは内法の中の一部であり全てではない。元来が慣行であるために、真に全貌を捉えることは極めて困難である。しかも、明治になって役所に届け出た際には、各間切・各村ともに近隣の法令を参考に加筆・削除されて整序されたものを提出したようである。それ故に、どの自治体の法もかなり似通って整ったものになっている。各村（字）の法の実態を追うには『字誌』を追う以外ない。

この琉球王国における法体系は、薩摩藩による法令、琉球科律、南島村内法（間切村内法）という順の上下関係になっていたはずだが、実態はその逆であった。近世琉球王国の法体系の上下関係が、近代的な法体系と同様なものであった訳ではない。歴史的実態を知るには、近代的法観念とは別の視角が要る。琉球科律が適用されるのは刑法犯に限られており、殆どの民事事件は南島村内法によって裁かれた。民衆生活に密着していたのは、何といっても南島村内法であった。

村内法の規範はあらゆる役職・法の上に立つものであった（注4）。薩摩藩による侵略を受ける前の「古琉球」と呼ばれる時代、一五世紀の尚円王は王位を継承する前に、伊平屋島の地で所払いに会っている。また、近世に入ってからも、評定所に勤務する三司官という大臣クラスの役人に対してさえ、内法による所払いが適用された例もある。大臣クラスの役人を所払い（追放処分）できる法は、村内法だけであった。刑法典である琉球科律や、薩摩が王府の貿易をコントロールし、琉球からの税収入（収奪）を安定的に確保するために薩摩藩によって定められた「掟」よりも、実態としては重要視されていた側面がある。ここに私たちは、南島村内法の根深さ、根源性を認めない訳にはいかない。そしてその根源性が、閉鎖的な村落共同体至上主義にその根拠を置いていることは前回見てきた通りである。村内法は罰札に伴う課金など厳しい制裁を伴うものであったが、ひとつの村落（字）の法は、あくまでもそのシマ内でのみ有効であり、他村では通用しなかった。そして、その法の在り方は村揃と呼ばれる住民会議で決定されていった。その背後には、土地の私有が基本的に認められず、共同体の耕作地を割り当てて田畑を耕す沖縄農村の伝統的システムが存在した。戦前、田村浩をはじめ多くの知識人が「共産村落」と呼んでいたあり方である。貧富の差が小さくて、全員が貧しいシマ社会がそこに存在していた。そしてまた、王府時代の集落には「掟」（ウッチ）という村役人がいたが、役人といっても旧家や富豪などではなく、しかも任期があるために専制にはなりえないという姿がそこに見られた。

南島村内法の根源性を示す事例を挙げておきたい。南島村内法が、宗教が法へと転化する前古代の様態を現出させている事例である。いわば法の根源とでもいうべき相貌が、そこには現われている。

そもそも南島村内法は、地域によって明確な差異を有していた。村内法研究の第一人者である奥野彦六郎によると、南島村内法は、①先島（宮古・八重山）地方、②本島北部及び本島周辺の島嶼、③中頭地方、④首里・那覇とその周辺地域の四つに区切って説明することが可能であるという。そして、その地域的勾配は、最も古い要素を残存させた①の地域から、門中や家中心の思想が広がって共同体至上主義の崩壊が見られる都市部の④に至るまでの時間的勾配に置き換えて語ることが可能である。即ち、僻地ほどムラとして、あらゆることに無区分・無分明に共同して事にあたった。また、そういう場所ほど、神霊に依拠することが大きかった（注5）。

僻地である宮古・八重山には、この村内法の古さを示す証拠が残されていた。村内法は、風紀・儀礼・貢納など村落生活全般について定められていたのだが、そのなかで最も厳格に守られ、適用されてきたのが「神判」に関わるものであった（注6）。例えば、農耕儀礼に関わる禁忌を犯した者は次のように処罰された。即ち、女の司（宮古・八重山の神女）がウタキで神に謝罪し、禁忌侵犯者は科料として神酒などを課され、さらに「おなり崎」の神に謝罪の上、科鞭十五に処せられるのである。また、宮古島では、「即ち悪人は神前の香炉の灰汁を呑めば死ぬとの信念の下に、容易に自白してしまった」（注7）。

このような村の紛争解決の手段としての神判は、第二次大戦後の一時期まで残されていた。方言札など罰札制度の背後には、このような世界が基盤として広がっていたのである。そして、そのような沖縄社会の古層に根を持つ事例は、決して「封建社会の遺制」などではなく、発達した近代資本主義社会においても普通に見られ、こうした古い「共同幻想」が支配することが可能であることを示している。沖縄の村落共同体の村内法と罰札制度は、村人の生活と沖縄の古層を繋ぐ紐帯であった。

太古の社会において、神女の神意や神律、村のボスによって乱暴者や生霊の憑いた女性を排除して秩序を保っていた段階では、未だ「法」が発生することはない。神意に支配された社会から、村の役人や若者頭の「協議」によりムラとしての自覚的総体的作用が働く程度の冷静さを有する社会になって初めて「法」が具現化する。この宮古島の事例は、その意味では境界的な性質を有していたといえるだろう。国から見た場合、近代に入ってからの南島村内法は実定法ではなく「契約」である。しかし戦前における沖縄の南島村内法は、一方で「法」の極めて古い形を留めながら、もう一方では同化政策など近代国家の施策と結びついて民衆を呪縛していた。

注1　豊見山和行『新琉球史　近世編（上）』琉球新報社、一九八九年。
2　前掲書、二六一―二六四頁。他に、グレゴリー・スミッツ『琉球王国の自画像』（渡辺美喜訳）、ぺりかん社、二〇一一年。スミッツは、東アジアのパワーポリティックスのなかで何とか独立性を維持してきた琉球王国の姿を論じながら、近代以降の政治的な「独立」概念を、前近代に当て嵌めることが不適切であることを述べている。
3　比嘉春潮・崎浜秀明（共編）『沖縄の犯科帳』平凡社、一九六五年、七一九頁。
4　奥野彦六郎『南島村内法』至言社、一九七七年、一一三頁。
5　同右書。

6　豊見山和行『新琉球史　近世編（上）』琉球新報社、一九八九年。
7　同右書。二七九頁。

四　南島村内法の実例から

ここでこの小論で取り上げてきた「村内法」がどのようなものであったのか、実例を取り上げて見ておくことにしたい。先ず最初に、字レベルでの村内法・罰札制度のおおまかな全体像を把握するため、県北部の国頭郡大宜味村津波集落の原札取締法条文を検討したい。津波集落は、戦前に田村浩が『沖縄共産村落の研究』（至言社、一九七七年）において取り上げた集落である。しかし、田村の著書の中では、村内法中の「婦女会内法」が掲載されているだけであり、その全容は字誌である『津波誌』（二〇〇四年）によってはじめて知ることができる。

近代に入ってからは、津波集落では罰札制度の管理は青年会（青年団）が行なっていた。

国頭郡大宜味村津波集落内法　条文（『津波誌』参照）（注1）。

「国頭郡大宜味村津波集落内法。青年会内法（共通）婦女会内法ニシテ、大正八年（一九一九年）以降改正設定セラレタルモノ左ノ如シ」

一　本内法ハ原札取締内法ト称ス
二　本内法ハ当字民ノ勧善懲悪ヲ以ッテ目的トス
三　本内法ノ執行ハ青年会ノ責任トス
但重大ナル事件アル場合ハ当字戸主ノ承諾ヲ得ルコト

四　本字内法ハ当字民ニシテ十一才ヨリノ者ニ行フモノトス

五　本内法ノ犯人ト認ムルニハ犯則ニ準ズベシ　該犯則ナキトキハ其ノ時ノ審議ニヨルヘシ

六　犯人ト認メタルモノハ原札ヲ渡ス

七　原札ヲ受取リタルモノハ其ノ当日ヨリ次ノ犯人発見スル前日マデ一日ニツキ科金三拾銭宛納ムベシ

八　科金ハ犯人所在ノ原頭ニテ毎日徴収シ之ヲ管保人ヘ納付スヘシ

九　次ノ犯人ハ札引渡ノトキハ科金全部ヲ即時ニ納ムヘシ
若シ延滞ノトキハソノ期間ノ科金ハ前犯人ノ負担トス

十　科金ハ当字青年会ノ費用ニ充ツルコト

十一　犯人両方争ヒ事実ヲ判明シ得サル時ハ青年会ノ役員会若シカシテ青年会ノ総会ヲ仰クヘシ

十二　役員会ニオイテ決定シタル時ハ金壱円、総会ニオイテケッテイシタル時ハ金参円宛敗者ヨリ納ムルコト

十三　本内法ヲ遵守セサル者ハ字青年会並ニ戸主会ニ於テ処置スルコト
科金ハ犯人所在ノ原頭ニテ毎日徴収シ之ヲ管保人ヘ納付スヘシ

犯則

一　他人ノ所有物ヲ盗ミ若シクハ損害ヲ加タル者但甘藷蔓二株芭蕉葉二株以下ハ免除スル

二　稲植付当時ヨリ苅取首尾マデ他人ノ園地ニ入リ又ハ稲圃ノ水ヲ妨害シタルモノ

三　川面溝海際ノ如キ堤防又ハ地面家屋等ノ保護用材ヲ盗ミ取リタルモノ

四　当字担当内ノ杣山内ヨリ松木ヲ伐採シタルモノ

五　当字共有地保安林他人ノ所有ニアル樹木ヲ伐採シタル者

六　浮水ニ「アニク」ヲ敷キ張ルモノ

七　地面ノ境界ニ侵入シ他人ニ損害ヲ加ヘタルモノ
八　病死シタル獣類ヲ食用トシテ売却シタル者、但当字外ノ人ナルトキハ当人ヲ宿泊セシメタル家主ヲ犯人ト認ム
九　夜間字内通行ノ時ニ松明ノ如キ失火ノ虞レアルモノ使用スルトキ
十　人ノ飲料用水ノ井又ハ川等ニ毒物又ハ汚物ヲ捨テオクモノ
十一　他人ノ領地ニアル阿且葉並阿苗子竹、トラチヂキ等ヲ盗ミ取ルモノ但川面道路道ノ掃除ハ免除ス
十二　他人ノ所有権アル地面ヨリ蘇鉄ノ実又ハ蜜柑ヲ窃取シタルモノ
十三　他人ノ所有権アル地面ノ「大マーム」畑ヨリ草ヲ苅取ルモノ
十四　当字担当杣山内ヨリ伊豆木、伊久木、槙等ハ許可ヲ得テ刈リ取ルモノトス但許可ヲ得バ自家用並ニ薪炭用ハソノ限ニアラズ
十五　甘蔗ハ私有、他有ノ別ナク食スルコトヲ禁ス但製糖用外ノ「屋ウーギ」
十六　正月元旦ノ門松ハ字共有地ノ中山ヨリハ松木ノ心ヲ取ラス技ヨリ取ルコト

いささか長い引用になりすぎたが、南島村内法の一事例として、その全貌を見てもらいたい為に割愛せずに掲載した。ここに掲げられた「原札」は、村内法の代表的な制裁手段であり、学校で課せられた「方言札」の原型となったシステムである。罰札制度がいつまで残存したかは、地域による差異が大きい。首里や那覇等の都会に近い集落では、大正期のうちに廃止になった集落も少なくないが、地域によっては戦後まで残存していた。

前項の冒頭で触れたように、沖縄には「旧慣温存期」と呼ばれる過渡期がある。一八七九年（明治十二年）の琉球処分以来、明治政府は急激な同化政策を進めたが、その一方で経済・社会上の諸政策（自治・租税・教育・行政組織等）は王府時代の在り方（旧慣）を変えないでおくという二重政策を採用した。この二重政策は「旧慣温存政

策」と呼ばれ、明治期の沖縄を規定する大きな特徴とされている。この政策が採られていた期間は、「旧慣温存期」と呼ばれ、近代沖縄史特有の過渡期として位置づけられてきた。分野・地域によって期間の終了は異なるが、琉球処分から、およそ一九〇五年（明治三八年）の日露戦争終結前後までの時期である。

しかし、右に取り上げた津波集落の村内法は、「旧慣温存期」のものではない。王府時代以来の間切制度（琉球王国特有の地方自治制度）も廃止され、日露戦争もとっくに終わった一九一九年（大正八年）に改定されたものである。沖縄への法的な「特別扱い」は終わっているはずである。しかしこれを読むと、沖縄がその数十年前までは、独自の外交システムを持つ「外国」であったという当然の事実を再認識させられる。ここには建前上は日本と同一の法規で治められている筈の沖縄社会の「他者性」がある。

法の条文では、十一歳になった字民から村内法が適用されている。この部分に関しては、集落ごとに八歳であったり、十歳であったりバラバラであるが、当時四年制であった小学校を卒業すると罰札制度が適用されるようになることは共通している。また、前述したように、犯人が次の犯人を見つけるまで罰札を持って罰金を払わなければならないことも、全沖縄共通のルールである。

しかし、驚かされるのは、「犯則」の項目である。第一項の「他人ノ所有物ヲ盗ミ若シクハ損害ヲ加タル者」は、言うまでもなく、本来は字で罰札を与えて罰金を課すような対象ではない。当然、警察に突き出すのが近代法治国家の原則である。例えば、第十二項には「他人ノ所有権アル地面ヨリ」蜜柑を盗んだ者が処罰されることになっているが、これは町内会で捕まえた泥棒を自分たちで処罰するようなものである。

この村内法の全体を見渡してみて判ることは、一貫した「共同体至上主義」である。近代国家に普遍的に存在すると思われがちな「個人」の理念などそこにはない。例えば第十五項の「甘蔗ハ私有、他有ノ別ナク食スルコトヲ禁ス」という項目を見るとよく分かる。何故自分の所有物であるサトウキビを自分で食べたら処罰されなければならないのだろう。理不尽なこのような規定は、決して津波集落だけに見られる例外的なものではない。他の多くの集落の村内法にも見出すことができる事例である。例えば、大宜味村喜如嘉の「農作物保護取締札」においても、熟していないシークァーサーやミカンを取って食べると、その果実がたとえ自分の所有物であっても罰札を渡され、その札を所有している間、一日あたり五銭（大正五年の場合。ちなみに当時の大工の日当が一日八銭程度）の罰金を支払う義務が生じた（注2）。即ち、個人の所有権よりも、農作物保護という共同体の利害が優先されたのである。

現在の観点からは理解し難い共同体至上主義の側面は、例えば第八項にも現われている。「病死シタル獣類ヲ食用トシテ売却シタル者、但当字外ノ人ナルトキハ当人ヲ宿泊セシメタル家主ヲ犯人ト認ム」とある。病死した獣を売却することを禁じるのは当然である。しかし、何故「当字外の人」が売却した場合は、その人間を宿泊させた家の主が処罰されねばならないのだろうか。沖縄が徹底した「シマ社会」であり、自分たちの集落の外側の世界は、自分たちに無縁な場所として認知されていた痕跡が窺える。

このような社会では、集落ごとの孤立が顕著であり、他集落（シマ）やましてや他間切の諸地域と連帯するといった発想は生まれ難い。「沖縄人」意識は希薄だったのではないだろうか。逆に、「共同体の為」という名目があれば、その理念が王府のものであれ、明治政府のような外在的権力のものであれ、すんなりと受け入れられた可能性が大きい。それが同化政策であっても事情は変わらない。

規則にもあるように、シマ社会における罰札制度の具体例を挙げ、戦前までの沖縄農村において、人々の生活を規制していた南島村内法・罰札制度の実態を見て行きたい。これら罰札制度は、青年会によって執行されていた。そして、この規定ができた翌一九二〇年（大正九年）に、「青年会」は「青年団」と改組されている。わが国の近代法体系は、本当の意味では沖縄社会の深層部には届き得なかったのであり、戦前期の沖縄の「現実」は、社会の表層を覆う近代法体系と、この例のような農村社会の土着的な「村内法」の落差のなかに存在したと言える。

シマ社会における罰札制度の具体例をあと数ヶ所ばかり取り上げて、戦前までの沖縄農村において、人々の生活を規制していた南島村内法・罰札制度の実態を見ておきたい。

現在、米軍基地移設問題でマスコミに頻繁に取り上げられる辺野古集落（現在は名護市内）では、以下のような種類の札が存在していた。ウーギ（甘蔗）札（他人の畑でサトウキビを盗って食べた者に対する罰則）、ユラリ札（仕事の手を抜いて、お喋りばかりしていると渡される。一日一〜二銭）、農具札（他人の農具を勝手に使用したら渡される）、カンダ札（他人の畑より芋かずらを盗んだ者の札）、カキバ（猪垣）札（王府時代、自宅のカキバが壊れていたり、猪が侵入したりした場合は字に罰金が課せられた。珊瑚石でできた石垣の点検が各戸に命じられた）などがあった。また、戦後まで残ったのは、鶏法度札（放し飼い禁止）である。最も厳しかったのは、他の集落（シマ）同様の山盗札であり、これは不法な伐採を防ぎ山林を保護するためのものであった。集落では、年一回伐採区域を決め、そこから切り出す薪木によって納税や生活費に充当していた。しかし、住民の中には区域外からもこっそりと切り出す者もおり、字では取締りを強化していた。（山林の貧相な沖縄では、木材の枯渇は大問題であった。）他には、「女ヌ罰金」といって、毎晩十二時に二才揃（青年会の前身の若者組）・青年会のなかの年少組がユーマーイ（夜回り）をして、在宅していなかった女子がいると科銭された。一九一四年（大正三年）までは、他村の若者と密通すると豚が取り上げられるという厳しい規則が存在したが、同年に青年会長・嘉陽宗安によって廃止された。この罰札制の一部は戦後になっても残り、一九六七年（昭和四二年）に廃止されるまで「部落内規」として存在していた。罰札制度は、青年会への参加にも適用されていた。青年会の遅刻者・欠席者には、「トゥキ札」が与えられ、大正期には遅刻五銭、欠席十銭が課せられた。戦後も同様で、昭和三三年には、遅刻五円、病欠三円、欠席十円、村踊りを無届でサボった者にはなんと一日あたり百円の罰金が課せられていた。綺麗事だけで、伝統芸能が保存されてきた訳でなさそうである。若者たちが敷物を持ってくるのを忘れたり、タバコを吸う先輩の前に灰皿を置き忘れたときも厳しい叱責が待っていた。戦後にまで続いたこの厳しさについて、『辺野古誌』は次のように述べている。

「古来このような罰則をもって組織の強化を図ると共に上下関係を尊重させることで礼儀作法を身につける社

会教育でもあり、今にちある（ママ）数々の伝統行事を継承する礎にもなったといわれる」（注3）

若者集団を通して行なわれる教育が、共同体の蓄積してきた伝統的文化、行動形態や共同体のイデオロギーを新しい世代に伝達し、彼らを社会化することを基本的役割としていたことは疑いえない。

この慣習的な罰則制度は、一八八五（明治一八）年に成文化して県に届け出た村の村内法を基に、更に字独自の細かい規律を設けて厳しく守らせたもので、口碑でしか残っていなかったものを『字誌』でまとめたものである。この制度の厳しさについて、字誌ではこう書かれている。「おおよそ、現代の行政運営上の規約とは想像できない程のものであったといわれ、大方、罰則や科料によってのみ字の秩序を保っていたようである」（注4）。

年に一度、違反者が集められて「大集会」と呼ばれる集会で晒し者にされた。名を呼ばれた者は、札を持って全字民の前を一周させられた。罰札を受け入れることはできても、この仕打ちは字民に限りない苦痛をもたらしたという。このような戦前の辺野古集落における青年会の活動の姿は、王府時代以来の二才揃（若者組）の在り方を色濃く残していたと言える。

これに対して、大宜味村喜如嘉集落の村内法は、その管理システムが組織化された事例、いわば「近代化」された例である。特徴的なことは、個人から個人へと罰札が授受される一般的な手法とは少し異なった、より管理的な色彩の強い方法が取られていた。

喜如嘉集落には、次のような札が見られた。家畜家禽取締札（鶏札・牛札・犬札。鶏と犬は放し飼いに対して、牛は川原などに繋いで畑の農作物に被害をもたらしたときに札を課せられた）、農作物保護取締り札（甘藷泥棒は無論、熟してないシークァーサーを取って食べると、たとえそれが自分の所有物でも罰金）、山林原野取締札、風紀取締札（道で口笛を吹いたとき、夜遊びをしたとき、山に薪を取りに行く時に何人かでマービーで休んでいたときなど、消費・節約取締札（ご馳走の規制や他部落の魚売りから一定以上の金額で魚を買うことの禁止、高価な魚の購入の禁止等）である（注５）。上記のマービーとは、尻を地面につけて座ることである。この集落の札の受け渡しにおいて特徴的なことは、個人から個人へと授受される一般的な手法とは少し異なった、より管理的な色彩の強い方法が取られていたことである。

違反者は部落の事務所に違反者の名を書き､他の違反者が見つかるとそれを書き直した。一九一六年（大正五年）の例では、これらの札を渡された者は、一日あたり五銭の罰金を払わねばならなかった。大工の日当が一日六〜七銭の時代に、決して少ない金額ではなかった。喜如嘉は伝統的に大工を多く輩出する集落だったが、生木を伐採した場合に与えられる山林・原野保護取締札だけは、一日十銭の課金となっていた。なおこの集落（シマ）では、区長が管理する方言札が罰金を伴って施行されていた(区長は旧村頭で字行政のトップ)｡辺野古集落と比較すると、喜如嘉集落の罰札制度の特徴は、風紀取締札や消費・節約取締札など、生活の細部に至るまでのこと細かい規制の存在にある。近代社会では、個人がどんな魚を買って食べようが、文句を言われる筋合いは無いはずである。これらの札制度がどこまで厳密に守られたかは検証の余地がある。沖縄のシマの「村内法」のなかには、現実性を持ち得ない理想論や建前を規則として、取り敢えず掲げておくという側面も大きいからだ。しかし、このような生活規制の存在は、戦時中などには現実化して恐ろしい威力を発揮することもありえたと推察しうる。たとえ罰則が加えられなくても、消費の細部までにわたる生活規制は、字民を「抑圧」した一面をも併せ持っていたことは間違いない。

喜如嘉集落では、各規定の項目別に数種類の札が設けられた時期があった。そのような場合には、一軒の家で二種類以上の札を持たされたという例もしばしばあったという。当時の部落ではもっぱら自給自足の経済を行っていたので、罰金を払うのは困難なことであった。罰金額が大きくなった家では支払のため、子どもを身売りしたり、借金をして支払ったりする。どうにも支払いが出来ない場合には夜逃げをした。明治から大正にかけて、罰金が払えなくなって現在の国頭村や東村辺りや山奥に逃げた家族が相当数いたようである。しかも、違反者と発見者がともに家族や親族である場合も多く、怨恨、同情、困惑など微妙な感情が入り込み、ほぼ全ての成員が顔見知りである集落内の人間関係を歪めたことが、『字誌』に記されている。

この喜如嘉の事例を、前項の辺野古集落の事例と比較すると、罰札の厳しさは大同小異に見えるが、辺野古の事例は王府時代から大差のない古典的なものであるように思える。これに対して喜如嘉の場合は、よりシステム的に管理された「近代的」な罰札制度に他ならない。他の集落では見られない、事務所での札の一元的管理（札の授受につきものの、恣意性の排除に繋がると言える）、王府時代にはありえない集落での「方言札」の施行、戦時体制を準備したかのように思わせる細かな生活管理などが罰札「近代化」の証左である。

このような罰札の「近代化」が進んだのは、この集落の在り方によると思われる。喜如嘉は周囲の他集落と比較して、かなり裕福なシマであったようである。王府時代の大宜味間切のトップ（地頭代）は、この集落から輩出してきた。琉球処分以来の「間切長」もみなこの集落の出身である。それだけに教育熱心であり、字民は「進取の気性」に富んでいたとも言われている。昭和六年には、青年会や処女会によって「村政革新同盟」が結成され、村政革新運動が生起している。

金武町金武では、昭和初期には、一日三銭の原札（農事取締札と非行取締札）及び五銭の山札（村有林取締札と森林保護取締札）が存在した（注6）。札を渡される条件は以下の通りである。①無断で麦畑に入ってメンナ草（山羊や牛の好きな草）を採ったとき、②無断で豆畑に入ってガギナ草（牛の好物）を採ったとき、③無断で水田に入って毛ガニ（山ガニ）や田魚（ふな）を捕獲したり稗を刈ったりしたとき、④無断で栽培しているキュウリ・スイカ等を盗み食いしたとき、⑤一人で買い食いをしたときである。買い食いの事例は、ソバを買い食いしたとき、お菓子を買い食いしたとき、バナナを買い食いしたとき、みかんを買い食いしたとき。但し、父母と一緒に行って買うときはその限りではなく、また村祭りや縁日には堂々と買っても原札の対象にならなかった。⑥ボンニー遊びをしているところをみつけられたとき、である。説明されていないが、①から④までが農事取締札の対象であり、⑤と⑥が非行取締札の対象であったと思われる。『挿絵で見る昭和初期の金武』（私家版、一九九八年）によると、ここでは、字の区長が札を管理していた様子である。

著者である石田磨注は、原札を取らされた体験を次のように記している。「私が小学校六年のとき並里の風呂からの帰り、元岡村村長の隣家に駄菓子屋があった。お風呂の釣り銭があったので、生姜菓子二銭分買った途端、闇の中から『フダトリヨー』の声にびっくり。その夜、現行犯で原札を渡された。このことが父に分かり棒で追われた」（同書九四頁）。

現時点から見れば、この札はあくまでも「習俗」であった。習俗であるが故に札の授受には曖昧さや恣意性がついて回った。即ち、一言でいえば「いい加減」なところがあり、それが字民にとっての「救い」にもなりえたことが推察できる。しかし、当事者、特に子どもの視点からはその恣意性は許せなく思えたようである。著者はこう語っている。

「この札は住民に周知徹底しなかった。原札の掟が行政上・治安上重要であるならば全住民に周知徹底を期すべきである」「学校で原札教育を施行していない当時の学校教育は、教科学習が要であった為、校外指導は等閑視されていた。原札の善導は全く行われていなかった」（同書九八頁）

著者は罰札制度のシステムの曖昧さを批判しているのである。しかし、このシステムが公的なものとして徹底されたら、子どもたちはその管理に窒息したのではないだろうか。

集落では、罰札制度が極めて大きな問題として生徒たちを規制していたにも関わらず、学校教育がそれらの習俗に一指をも触れることができなかったことがわかる。そして、罰則者から罰則者へと札を渡していくこのシステムが、「習俗」であるが故の恣意性を免れないことが描かれている。札持ちの家族を夜逃げまでさせるシステムにしては極めて杜撰であると言わねばならない。

中頭地方の地域資料には、次のような記述が見られた。「札を渡される方は、子どもが多かったようだ。相手が子どもだと、少々無理があっても強引に札を押し付けることができた」「一九四七年頃、札を渡す相手を見つけたが、親戚だというのであきらめた」（注7）。「内気な人間は、次の違反者をみつけても札を渡すことができないで、長期間罰金を払った」「弱い者にわざと違反させ、札を渡す悪賢い者もいた」（注8）。

農村の罰札制度がかなり新しい時代まで、方言札と同時代的な存在として沖縄県内で流通していた例の多いことに驚かされる。これは沖縄現地でも、あまり知られているとは言えない事実である。しかし、学校教育は「方言札」として罰札制度を取り込みながら、子どもたちや地域社会の全体を縛る罰札制度に正面から向き合うことができなかった。「学校」や通学路もまた、札の授受の舞台になりえた。子ども同士の関係性を歪め、現在の観点から言うと「いじめ」や「子ども虐待」にも繋がる可能性のあるこのシステムに対し、制度としての教育が無力であったことは特筆しておいていい。学校社会と地域社会、子どもたちの全生活体験を俯瞰する教育的観点など、どこにもなかった。逆に言えばそのことは、子どもたちの世界に管理が及ばない隙間をもたらすことにも繋がっていたはずだ。

注Ⅰ　『津波誌』大宜味村津波区、二〇〇四年。
2　『喜如嘉誌』、喜如嘉誌刊行会、一九九六年。
3　辺野古誌編纂委員会編『辺野古誌』一九九八年刊、四六一頁。
4　同右書、一七七頁。
5　『喜如嘉誌』、喜如嘉誌刊行会、一九九六年。

6　石田磨注『さし絵で見る昭和初期の金武』私家版、一九九八年刊。
7　中石清繁『イーター島』沖縄自分史センター、一九九〇年。
8　『なあぐすく字誌』宮城自治会、二〇〇五年。

五　南島村内法と現在

南島村内法・罰札制度は自然発生的なものであるため、その全容を把握することは簡単ではない。その発生にしても、島津侵攻以前の古琉球の時代にまで遡る、非常に古い制度であることが分かっているだけである。この制度の廃止についても同様である。どの時点でこのシステムが沖縄社会から消えたのかは、字ごとに相当に異なっている。中には宜野湾市の字宜野湾や嘉数のように、大正期のうちに早々と廃止された集落もあれば、この項の事例のように戦後まで生き延びた事例もある。しかし、近代民法と抵触するこのシステムが、時代を経るに従って慣習法としての存在基盤を喪失していったことだけは間違いない。近代になって民衆の交通や移動が加速度的に増加すると、狭い自らの集落だけに通用するような村内法や罰札制度に疑問を感じる者も増えて、システム崩壊の危機に陥って行ったことは間違いがなさそうである。

各地の『字誌』の記述を追って行くと、戦後になって村内法・罰札制度を相対化する視点が民衆の中に広がりはじめたことが見てとれる。例えば、名護市与那嶺集落の字誌には、次のように記載されている。「戦後、原札の復活をシマで話し合い、人間関係を阻害するのでやめることにした」（注1）。周知のように、沖縄本島の南部は戦争の舞台として焦土と化した。そして中部では、戦後すぐに集落が米軍によって占領されて、移転を強いられた集落も多い。その意味では、戦前と戦後では「字政」に大きな断絶があり、罰札制度にとっても戦争が大きな区切りとなったことは疑えない。

また、中頭郡勝連町（現うるま市）平安名集落では、戦後の一時期まで、原札・鶏札・清掃札・井札（カーフダ：井戸の管理に関する札）が存在したが、内法は法的には無効だと主張して実行を拒否する者が現れたため、札制度が中止に追い込まれたようである（注2）。

時期としては、一九五〇年代までは字の主体的な判断で廃止した所が多い。例えば、名護市久志集落では、一九五八年に鳥札を含むすべての罰札制度が廃止されている。しかし、六〇年代に入ると行政からも指導が入ったようである。中頭郡勝連町（現うるま市）宮城自治会の資料では、一九六五年頃に行政指導もあって札制が廃止されるという表記になっている（注3）。

罰札制度の終焉は、とりもなおさず、シマ社会の「共同体至上主義」の終焉を意味していた。本土とは異なり、戦後四半世紀に亘って占領下に置かれていた沖縄の社会であるが、ある時期から本土同様の「私的利害」を重視する市民社会の価値観が浸透するようになったと言えそうである。

このように消滅した南島村内法・罰札制度であるが、今まで述べてきたように、現在でもその痕跡は「字規約」として至る所に残存している。多くの地域で、スポーツや伝統芸能の存続にペナルティ制度が表裏している。例えば糸満市喜屋武のハーリー（爬竜船）やエイサーの練習をサボった者に対する課金システムなどはその好例である。実は、このような課金制度自体は本土の社会教育の現場でも時折見受けられる。しかし沖縄の場合は、それが「内法」という字自治の痕跡であるところに、根深い歴史性を感じさせられる。

浦添市に西原というシマがある。現状を見ると、どう見ても「集落」というよりは、那覇都市圏の郊外といった趣が強い住宅密集地域である。この集落の戦前の地図を見ると、シマの外れに外部からの侵入者を監視する見張り台が設置されていた。西原はかつて「モーアシビのメッカ」と言われていた集落であり、終戦直後の時期にまで歌舞の宴が残存していた。前述したように、歌舞の宴である「モーアシビ」は、基本的には「村内婚」の為の婚姻媒介習俗である。「見張り台」は、この集落の異性を目当てに来訪する若者たちを見張る為のものであった。そして字西原には、時には一緒にモーアシビを楽しむこともある仲の良い集落と、犬猿の仲の集落があった。仲の良かったのは現宜野湾市の字宜野湾や我如古、逆に仲が悪かったのは同じ現宜野湾市の嘉数や浦添市の牧港。筆者の聞き取りに対し、嘉数の人々は「西原は敵だった」と語っていた。周囲のシマを敵と味方に色分けする発想には驚かされた。数十年前にまで残存していたその色分けは、現在のシマの住民たちにも微妙な影を投げかけていると憶測しうる。

那覇を中心とする沖縄中南部は都会である。表向き、那覇市は人口三十数万の地方都市にすぎないが、私の眼から見ると、北は沖縄市から南は豊見城市あたりまで、途切れることなく連なる市街は百万都市の威容がある。狭くて土地が無い分密集度が高く、ビルの谷間を縫うようにモノレールが走る風景は、私の故郷京都などより余程都会的な印象を与える。筆者の友人は「本土なんか、東京と関西を除いたら田舎やもん。住みたいとは思わないね」と口にしていた。しかし、最早「集落」とは言えない現代都市の一地域に変貌しても、字公民館があり、エイサーで歌い踊る為に、本土では殆ど息絶えた青年会の活動が残り、『字誌』が編集され続けている。現代の高度消費社会と、そこに残る精神の歴史的遺構の二重性が今の沖縄の特徴であろう。

筆者が沖縄研究を始めたとき、実は最初は南島村内法の問題から目を逸らすつもりだった。筆者には難しすぎると思えたのだ。しかし、本土では見出し難い、現代から見れば奇妙奇天烈なその習俗の態様や、それがシマの自治に基盤を有するが故の融通無碍な在り方に興味を覚えていった。

南島村内法には、王府や県からの通達をシマ社会に伝えるという機能と、シマの掟としての機能を併せ持っていた。王府の政策は地方行政機関である間切内法を通して、シマ社会に下されてきた。しかしシマ（当時の村）のレベルで、王府の施策や間切からの通達に反対したという話は、歴史書でも見当たらない。殆どの場合、諾々と上からの指令に従っていたはずである。そして為政者たちは、自然発生的な内法に手を付けることはせず、むしろそれに密着して覆いを掛けるようにして利用してきた。近代に入ってからの国や県の施策とシマ社会との関係も、実はそれと同じようなものだったのではないだろうか。かつて、王府や間切からの通達を受容したように、国や県の施策を受容したにすぎなかったように推察される。

そこには、アジア社会特有の歴史的事情があるように思える。アジア的農村共同体においては、共同体は国家に対し、「税」の支払いを通じてのみ関わることになり、普段は相互に関わりあうということが殆どない。マルクスは、『資本主義的生産に先行する諸形態』（大月書店、一九六三年）の中で、「アジア的農業共同体」について次のように描いている。

アジア的農業共同体とは、血縁共同体である「前古代的共同体」が崩壊した後に現出する農業共同体段階の一種であり、その段階ではすべての土地は帝王のものという建前であり、土地の私有制は認められない。しかし、実態としては土地は共同体の所有であり、それは国家の専制権力と関わりなく存在しており、その存在形態は極めて強固なものとなる。国家は村落だけでは行えない、灌漑などの大規模土木工事を行うことを第一の役割としているが、共同体の内部構造に手をつけるということはない。（勿論、日本のような狭い土地では大規模土木といっても知れているのだが）。そのため、アジアでは、支配する王朝が変わっても、村落共同体の内部の生活は、殆ど影響を受けずに悠久の平和（アジア的停滞）を貪るとされる。孤立した、どこまでも自閉的な共同体がそこにある。その典型例の一つが、「地割制」に基づいて農民が共有の農地を耕作するロシアのミール共同体であった。

戦前から沖縄の農村共同体が着目されてきた理由の一つは、それがかつてのロシアのミール共同体と酷似していたことによる。田村浩をはじめとする研究者が、かつての沖縄農村の姿を共産村落と見做してきた。マルクスは最晩年の書簡である「ヴェ・イ・ザスーリチの手紙への回答」において、ロシア革命には資本主義段階を経る必要があるとするプレハーノフらの見解に対し、ミール共同体の在り方に積極的な意義を見出して、大平原に孤立して共同体間の連結を欠く欠点を克服さえすれば、資本主義段階を経ることなく未来に繋ぎうる可能性について言及した。「ロシアにおいては農業共同体の未だ古代的な形態を破壊する代わりに、却ってこれをより優れた古代型の共産体へと発展させ転化させることができる」と。晩年のマルクスは進歩史観からの撤退を模索していたとされている。沖縄の農村共同体には、ロシアのミール共同体とは異なり「平民百姓村」と「士族百姓村」が並存していることや、オエカ地やノロ地といった役人や神女のための土地がある（但し耕作は字民の共同労働による）といった相違点はあるものの、農耕地が基本的には共同体所有であることやそれが地割制によって分割耕作されていること。またそれに伴う共同体が帯同する閉鎖性や構成員間の紐帯の強さなどの点で共通していた。それはマルクスが指摘してきたアジア的共同体の姿であった。（この条を書いていて冷や汗が出てきた。半可通の身で聞いた風なことを口にするものではないという自戒の念が私にある。しかしここでは、論の成り行きから言及せざるをえなくなってしまった。）この「ヴェ・イ・ザスーリチの手紙への回答」を読むと、そこに連なるマルクスの言葉には心底驚かされる。

「言うまでもなく、現在の基礎の上に共同体をノーマルな状態に置くことからはじめねばなりません。農民はどこまでも全ての唐突な変化の反対者なのですから」（注4）

「農民から農民労働の生産を一定以上奪ってごらんなさい。そうすればロシアの憲兵隊や軍をもってしても、彼らを彼らの耕地へ繋ぐことに成功しないでしょう。（中略）ローマ帝国末期には、地主の長さえ身を奴隷に売った」（注5）

このマルクスの論稿を読んだとき、「マルクス・レーニン主義」などという代物が成立したことが不思議に思えた。レーニンがネチャーエフら「人民の意志」派ナロードニキの影響を深く受けていることは知られている。マルクスは彼らが大嫌いだった。

吉本隆明は、レーニンらによる共同体の破壊と農業集団化の強制を、インドによるイギリスの支配になぞらえた。インドではどのような征服王朝もインド社会の表層に手を触れただけであったが、イギリスの支配はヒンドスタンアジアの深層に手を入れ構造を破壊しつくした。ロシアでも同様のことが起こった。

「レーニンはインドにおける英国と同じ問題に直面し同じことをやった。レーニンの政治的な意志の構造の中に、（プロレタリア）独裁を専制になぞらえ、農業ミール共同体の特質を集団農耕になぞらえ、これらが一元的に中央政府によって統御されているという心性の類縁がすこしも払底されていなかったことは確かである。レーニンらの意図した労働者勢力による近代化は一面では近代以前の永続するアジア的な専制の遺構への退化であり、他の一面では西欧資本主義的な高度な技術と生産手段の計画的な投入によるミール共同体の徹底的な破壊を意味したのである」（注6）

革命後のロシア農村の悲惨な在り方については、ここで繰り返すまでもないだろう。

そして吉本は、ミール共同体をめぐるマルクスとレーニンの考えの相違について指摘している。「レーニンに欠落していたのは、ロシア農業共同体のもつ共同体的な枠組みの問題であった」（注7）と。即ち、社会経済的な階級分割としての支配・被支配の関係が、共同体的枠組みにおける支配・被支配の関係と必ずしも一致しないし並立もしないという指摘である。この指摘の妥当性は、比較的貧富の差が小さい沖縄農業共同体の内部が、厳しい宗教階層制と年齢階梯制に呪縛されていたことを見れば立ちどころに分かることである。さらに吉本は、レーニンの錯誤の根源をエンゲルスの認識論に求めている。二十世紀の末期、マルクス・レーニン主義を標榜する国家や諸勢力は見事に崩壊した。しかし、その理由を根底的に、そして真正面から問うた知識人を、私は吉本隆明をおいて他に知らない。

注1　与那嶺誌編集委員会『与那嶺誌』今帰仁村与那嶺公民館、一九九五年。

2 『平安名誌』平安名区、一九九七年、三九五頁。
3 『なぁぐすく字誌』宮城自治会、二〇〇五年。
4 『マルクスエンゲルス全集 第二一巻』改造社 一九二九年、四〇六頁。
5 同右書 四一一頁。
6 吉本隆明『アジア的ということ』筑摩書房 二〇一六年、一七頁。
7 同右書。七〇頁。

六 沖縄が問いかけるもの

私が沖縄の研究にとりかかったとき、心に秘めていたのは「難しい話はするまい」という気持ちだった。しかし、研究対象が南島村内法に関わりのあるものばかりであるため、アジア的共同体の問題に触れない訳にも行かなくなった。言うまでもなくアジア的共同体の問題は、歴史学者や経済学者によって重箱の隅をつつくような論議がなされてきただけでなく、様々な文学者や思想家によって考察の対象とされてきたところである。谷川雁も、「びろう樹の下の死時計」(『工作者宣言』潮出版、一九七七年)という論稿のなかで、南島十島村の農村共同体についての美しい文章を残している。農本主義者としての側面を色濃く残した谷川雁は、アジア的共同体内部の生活感覚なども理解しやすい位置にいたはずだ。

私が南島村内法に興味を覚えたのは、際物趣味に近い動機があったことを告白しておかねばならない。沖縄社会に「あと一つの日本」を認めたと言えば聞こえはいいが、平たく言えばそこに異族の影を見出していた。浪漫主義の発露である。しかし、今にして思えば、この発想は最初から危うい。沖縄に「他者」を見出したということは、逆に言えば私が本土に対して通り一遍の日本像しか持ちえなかったことをも意味しているからだ。しかし今になって思えば、このヤポネシアの何処に行ったとしても、表皮をはがせば原住諸族と渡来民／縄文系対弥生系／山人と平地人といった多重の層のせめぎあいが存在していたはずである。農村についても、沖縄とそれ以外の地域との差異を決定的なものと考えすぎていたきらいがある。

「日本農業のアジア的な特質といえば、小作人も自作の小地主もさして変わりなく、一様に狭い土地を耕し、自分で収穫し、現物で納租にあてたあとは、いくらかの農作物が手元に残るという境涯を、幾世代も積み累ねてきたことだ。停滞した小さな規模の小作人と小地主的な自作農が農民の大部分を占めて、農村共同体の底部に貧しく均等に沈殿している」（注1）

この吉本の一文を読み、私は自分の父祖の地のことに思いいたった。私自身は京都の生まれだが、井谷家のルーツは兵庫県北部の寒村にある。私の子どもの頃の集落の人口は約三百人、戸数でいうと六十数戸であった。その中では父の生家は、一番か二番目の富農であった。とはいえ、その稼ぎはたかだか知れていた。肥を担いで畑に出かける祖父の姿をよく覚えている。戦前はその辺りで勉強ができる子どもの将来は大体決まっていた。中学か高等小学校を出て師範学校に行くというものだ。ただ、父はかなり成績が良かったらしく、上級学校へ行かせるよう校長先生が祖父を説得しに来たという。祖父はかなりの借金を背負い、弟や妹の面倒を見ることを条件に父を京都の旧制高校へ行かせた。そのドラ息子が蕩児の私という、絵にかいたような日本近代家族史の縮図である。富農といったところで、せいぜいその程度だったのである。

本土に沖縄のような共有耕作地や地割制が存在したのは、班田収授の法の時代のことである。歴史や経済学の教科書では、近世の日本の農村で階層分化が進んだことを教えられた。そのこと自体は間違いではない。しかし程度が問題である。大地主など例外的にしか存在せず、自営農といっても大したことはなかった。沖縄ほどではないにせよ、総じて貧富の差は小さく貧しかった。

それを考えると、やはり農村においても、沖縄の在り方が日本の原型であった事実に気づかされる。「村内法」は本土では、近代に入るとすぐ姿を消した。集落に根差した若者組や婦女会を始めとする自治組織は、幾つかの集落が集まる「行政村」へと姿を変えたと同時に行政村の管轄に再編された。沖縄ではその過程が無かった為、シマ社会が色濃く残存し、習俗や共同体規制の在り方が本土とは著しく異なったものになった。しかし、地租改正以前の本土の農村にも大同小異の集落自治と村内法は存在していた。黒木三郎は次のように述べている。

「内法は、このように近世・島津支配下の沖縄の慣習を伝えるものであると同時に、戦前においても効力のあるものとして、沖縄農村の共同体規制として生きていたのである。本土においては、『民間慣例類集』のような調査資料はあるが近代民法の下においては、あくまで旧慣であったのに対し、沖縄においてはそれが成文化されることによって、単なる旧慣ではなく、生きた慣習として存在したのである」（注2）。（明治政府の命令で成文化されたのは間切単位の間切村内法であり、前節で取り上げたような集落単位のものではない―井谷注）

私が異貌のものとして驚いた、「南島村内法」とその習俗が支配する農村の様相は、私たちの祖先の写し鏡であったといえるだろう。今となっては、その相違は「時間差」として認識すべきものであったと思える。

注1　「柳田国男論（初出）」『吉本隆明資料集八一』猫々堂　一〇八頁。
2　奥野彦六郎『南島村内法』至言社、一九七七年　黒木三郎「解説」九頁。

資料　吉本隆明講演年譜（一九八〇年から一九九〇年まで）

宿沢あぐり

【註】この年譜には、『吉本隆明〈未収録〉講演集』（筑摩書房刊）の付録として作成された「吉本隆明全講演リスト」以後、また『吉本隆明資料集』（猫々堂発行）に掲載された「吉本隆明年譜」の作成以後にわかった講演（演題、内容、年月日など不明なものが多いが、当時の大学等の新聞や学園祭パンフレット、書簡、問い合わせなどにより判明）もふくまれているが、講演の収録対象として初出雑誌、冊子、新聞などはすべて省略し、単行本のみ（CD、インターネット公開ふくむ）を記号「＊」のつぎに記載している。講演を収録した単行本等で略記してあるものはつぎのとおりである。なお、敬称は略させていただいた。

『情況への発言　吉本隆明講演集』（徳間書店刊→『情況講演』）／『敗北の構造　吉本隆明講演集』（弓立社刊→『敗北』新装版も）／『知の岸辺へ』（弓立社刊→『岸辺』新装版も）／『吉本隆明全著作集』全一五巻（勁草書房刊→『全著』例『全著一』漢数字は巻数）／『言葉という思想』（弓立社刊→『言葉思想』新装版も）／『〈信〉の構造・吉本隆明全仏教論集成 1944.5～1983.9』（春秋社刊→『〈信〉仏』）／『〈信〉の構造 Part1――吉本隆明全仏教論集成』（一九八九年二月二五日　第八刷　春秋社刊→『〈信〉一』新装版も）／『〈信〉の構造 Part2――吉本隆明全キリスト教論集成』（春秋社刊→『〈信〉二』新装版も）／『〈信〉の構造 Part3――吉本隆明全天皇制・宗教論集成』（春秋社刊→『〈信〉三』新装版も）／『語りの海　吉本隆明　①幻想としての国家』（中央公論社刊→『語り①』）／『語りの海　吉本隆明　②古典とはなにか』（中央公論社刊→『語り②』）／『語りの海　吉本隆明　③新版・言葉という思想』（中央公論社刊→『語り③』）／『心とは何か　心的現象論入門』（弓立社刊→『心』）／『吉本隆明全講演ライブ集』全二〇巻（吉本隆明全講演CD化計画刊→『全講演』例『全講演二』漢数字は巻数）／『吉本隆明〈未収録〉講演集』全一二巻（→『未収録』例『未収録一』漢数字は巻数）／『全南島論』（作品社刊　→『南島』）／『吉本隆明全集』（刊行中　晶文社刊→『全集』例『全集一』漢数字は巻数）／『吉本隆明全質疑応答』全五巻（講演の質疑応答のみ　論創社刊→『質応』例『質応Ⅰ』ローマ数字は巻数　これ以前に『吉本隆明質疑応答集』があるが『質応』にふくむ）／『吉本隆明　五十度の講演』（東京糸井重里事務所刊→『五十度』）／『吉本隆明の１８３講演』フリーアーカイブ（「ほぼ日刊イトイ新聞」インターネットサイト→『１８３』）

【前号での訂正、補正】

九二頁の【註】のうち、終わりから三行目―二行目の「例『質応一』漢数字は巻数」を「例『質応Ⅰ』ローマ数字は巻数」に変更　一〇〇頁の88「高村光太郎について」の＊『全講演一〇（通巻一二）』の下に一字あけて「＊『質応Ⅰ』」を、一〇三頁の112「言葉の根源について」の＊『語り③』の下に「『詩とはなにか』（思潮社刊）」を、同頁の114「若き戦士達へ」の＊『敗北』の下に「『全講演九（通巻一一）』を、一〇八頁の160「詩について」の＊『語り③』の下に「『詩とはなにか』」を、同頁の160「共同幻想論のゆくえ」の＊『語り③』の下に『吉本隆明の経済学』（筑摩書房刊→『経済学』抄録）を、同頁の167「良寛詩の思想」の『語り③』の下に『全集二二』を、それぞれ加える。

一九八〇年（昭和五五年）　五五歳～五六歳

179　三月二六日　「過去の詩・現在の詩」／主催・詩誌「無限」発行所　無限事業部／無限アカデミー現代詩講座における講演／場所・明治神宮外苑絵画館文化教室　＊『未収録一〇』＊『１８３』＊『質応Ⅲ』

180　五月二四日　「親鸞教について」（改題「親鸞の教理について」）／共催・上智大学東洋宗教研究所・キリスト教文化研究所／上智大学第八回連続講演会における講演／パネルディスカッション「日本人と宗教性　「日蓮は日本人の宗教性に何をもたらしたか」「親鸞とそのキリスト教神学よりの理解」」（パネラー・丸山照雄、高柳俊一、吉本隆明、門脇佳吉（司会））／場所・同大学Ⅲ―５２１教室（千代田区）　＊『〈信〉仏』『〈信〉一』＊『１８３』＊『質応Ⅲ』

181　六月二一日　「「生きること」について」（改題「「生きること」と「死ぬこと」」）／主催・佐賀県立図書館内　近代文学研究会／近代文学研究会二〇〇回記念講演会における講演／場所・佐賀県佐賀市民会館大ホール　＊『言葉思想』『死の位相学』（潮出版社刊→『死』）『新・死の位相学』（春秋社刊→『新・死』）『全集一七』＊『五十度』『１８３』＊『質応Ⅲ』

182　八月一五日　「文学の原型について」／主催・高知市立中央公民館／第三〇回夏季大学における講演／場所・高知県立県民文化ホール・オレンジ　＊『未収録一二』＊『１８３』

183　一一月二九日　「戦後文学の発生」／主催・宮城学院女子大学日本文学会／特別公開講演会における講演／場所・同大学講堂（仙台市）　＊『未収録一二』＊『１８３』＊『質応Ⅲ』

一九八一年（昭和五六年）　五六歳～五七歳

184　二月七日　「ドストエフスキー断片」（改題「ドストエフスキーのアジア」）／主催・ロシア手帖の会／「ドストエフスキー死後百年祭」における講演／場所・山手教会（渋谷区）／講演者は、大江健三郎、後藤明生、吉本隆明、埴谷雄高の四人　＊『超西欧的まで』（弓立社刊→『超西欧的』）『全講演一四』『全集一八』＊『五十度』『１８３』

185　七月三日　「現代文学の条件」／主催・梅光女学院大学／特別講演会における講演／場所・同大学（山口県下関市）

＊『未収録一二』＊『183』＊『質応Ⅲ』

186　七月四日　「〈アジア的〉ということ――そして日本」／主催・金榮堂（北九州市小倉）／吉本隆明氏講演会における講演／場所・NRCCホール（ニューロビンカルチャーセンター　北九州市小倉北区）　＊『全講演一』『「情況への発言」全集成2 1976～1983』（洋泉社刊）『完本 情況への発言』（洋泉社刊）『アジア的ということ』（筑摩書房刊）『全集一八』　＊『183』＊『質応Ⅲ』

187　一〇月二五日　「僧としての良寛」（改題「僧侶」）／主催・「修羅」同人／第二回「良寛講座」における講演／場所・長岡中央公民館（新潟県長岡市）　＊『僧としての良寛　―吉本隆明講演録―』（修羅出版部刊）『隠遁の構造　―吉本隆明講演集―』（修羅出版部刊　→『隠遁』）『〈信〉仏』『〈信〉二』『吉本隆明全集撰　6　古典』（大和書房刊　→『全撰六』）『良寛』（春秋社刊　新装版も）『全集二一』　＊『183』＊『質応Ⅲ』

188　一一月七日　「労働組合論　――日本資本主義の構造――」（改題「日本資本主義のすがた」）／主催・自治労山口県職員労働組合下関支部／文化講演会における講演／場所・下関市水産会館　＊『超西欧的』『全講演九』　＊『183』
＊『質応Ⅲ』

189　一一月二一日　「物語の現象論」／主催・早稲田大学文学部文芸専攻／課外講演会「同時代文学を語る」における講演／場所・同大学文学部四五三教室（新宿区）　＊『未収録一一』　＊『183』　＊『質応Ⅲ』

一九八二年（昭和五七年）　五七歳～五八歳

190　一月二一日　「文学の新しさ」／主催・京都精華大学／同大学アセンブリー・アワーにおける講演／場所・同大学（京都市左京区）　＊『未収録一一』　＊『183』　＊『質応Ⅲ』

191　三月六日　「先進資本主義社会の動向と日本の行方」／主催・東京都学校事務労働組合／同労組結成十周年記念講演会における講演／場所・千駄ケ谷区民会館（渋谷区）　＊『反核異論』（深夜叢書社刊）『全集一九』

192　九月二六日　「若い現代詩――詩の現在と喩法」／主催・思潮社／思潮社二五周年記念「詩のカーニバル・詩はこれでいいのか」における講演／場所・西武劇場（渋谷区）　＊『未収録一〇』　＊『183』

193　一一月五日　「ポーランドへの寄与」（改題「ポーランド問題とは何か　――「連帯」の社会主義構想――」）／主催・岩手大学新聞社／吉本隆明講演会「社会主義構想としての〈連帯〉について」における講演／場所・岩手大学人文社会科学部四号館四一大教室（盛岡市）　＊『超西欧的』『全講演一四』　＊『五十度』『183』　＊『質応Ⅲ』

194　一一月一三日　「個の想像力と世界への架橋」／主催・'82現代短歌シンポジウム実行委員会／「'82現代短歌シンポジウム in 東京」（一三日、一四日）における講演／場所・一ツ橋講堂（千代田区）／公開質問（質問者・三枝浩樹、滝耕作、永田和宏、進行・藤森益弘）　＊『未収録九』　＊

『１８３』＊『質応Ⅲ』

195　一二月八日　「詩について」（改題「〈若い現代詩〉について」）／主催・詩誌「無限」発行所　無限事業部／無限アカデミー現代詩講座における講演／場所・明治神宮外苑絵画館文化教室　＊『未収録一〇』＊『１８３』＊『質応Ⅲ』

一九八三年（昭和五八年）　五八歳〜五九歳

196　二月一二日　「共同幻想とジェンダー」／共催・フォーラム・人類の希望　新評論／第四回シンポジウム「いま、性と労働を問う」における講演／場所・四谷公会堂ホール（新宿区）／講演のほか、山本哲士による「問題提起」、河野信子によるコメント、山本哲士、吉本隆明、樺山紘一による討論がおこなわれた。　＊『超西欧的』＊『１８３』＊著書未収録（「討論」）

197　三月五日　「源氏物語と現代」（改題「源氏物語と現代——作者の無意識」）／主催・山梨県石和町教育委員会／昭和五七年度石和町婦人教室特別講座における講演／場所・石和町中央公民館三階大会議室（現・笛吹市）　＊『白熱化した言葉　吉本隆明文学思想講演集』（思潮社刊　↓『白熱化』）『全講演一三』『全集一八』＊『五十度』『１８３』

198　五月二六日　「小林秀雄の古典論」（改題「小林秀雄と古典」）／主催・神奈川県高等学校教科研究会国語部会／昭和五八年度国語部会総会における記念講演／場所・神奈川県政総合センター（横浜市神奈川区鶴屋町二丁目二四—二）　＊『超西欧的』『語り②』『全講演一六』＊『五十度』『１８３』＊『質応Ⅲ』

199　八月二一日　「親鸞論」（改題「変容論——三願転入親鸞思想の到達点」）／主催・鹿児島県出水市泉城山西照寺／「緑陰講座　親鸞・不知火よりのことづて」における講演／場所・同寺　＊『未来の親鸞』（春秋社刊　↓『未来』）『全講演六』『吉本隆明が語る親鸞』（東京糸井重里事務所刊　↓『語る親鸞』改題「親鸞の転換」）『全集二五』＊『１８３』＊『質応Ⅲ』

200　一〇月二三日　「宮沢賢治・思想としての幼児性」（改題「宮沢賢治の陰——倫理の中性点」）／主催・吉本隆明文芸講演実行委員会／吉本隆明文芸講演会における講演／場所・盛岡市総合福祉センター（盛岡市若園二丁目）　＊『白熱化』『宮沢賢治の世界』（筑摩書房刊　↓『賢治世界』）　＊『１８３』＊『質応Ⅲ』

201　一〇月二六日　「エリアンの詩とうた」／主催・詩誌「無限」発行所　無限事業部／無限アカデミー現代詩講座における講演／場所・明治神宮外苑絵画館文化教室　＊『全講演八』（改題「宮沢賢治の幼児性と大人性」）『賢治世界』　＊『１８３』＊『質応Ⅲ』

202　一一月一二日　「漱石をめぐって」（改題「漱石をめぐって——白熱化した自己」）／主催・日本近代文学会／日本近代文学会・一一月例会における講演／場所・武蔵大学一四四号室（練馬区）　＊『白熱化』＊『１８３』＊『質応Ⅲ』

203 一一月二九日　「親鸞について――否定する言葉」（改題「浄土論――正定聚の位　ほんとの〈死〉からの言葉」）／主催・真宗大谷派宗務所同朋の会／「報恩講」における講演／場所・東本願寺白書院（京都市下京区）　＊『白熱化』（原題のまま）『未来』『全集二五』

一九八四年（昭和五九年）　五九歳～六〇歳

204 三月一六日　「小林秀雄を語る」（改題「小林秀雄を読む――自意識の過剰」）／主催・寺子屋教室／寺子屋教室公開講座「『いまだ知らざるもののさらなる出現の予覚』――書く・読む・撮る・観る・語る・聴く――　現代を読む　小林秀雄を語る」における講演／場所・紀伊國屋ホール（新宿区）　＊『白熱化』『全講演一六』　＊『１８３』

205 四月一日　「隠遁者としての良寛―良寛の自然性の構造―」（改題「隠者」）／主催・雑誌『修羅』同人／第三回良寛講座「〈隠遁者〉としての良寛」における講演／場所・海嶽山光照寺（新潟県出雲崎町　良寛剃髪の寺）　＊『隠遁』『全撰六』『良寛』『全集二二』　＊『１８３』　＊『質応Ⅲ』

206 四月一一日　「いま、どんな時代なのか」／主催・同志社大学／「新入学生歓迎特別講演会（一、二部共通）」における講演／場所・同大学神学館三階礼拝堂（京都市上京区）　＊『未収録六』

207 六月一七日　「親鸞の声について」（改題「自然論――善悪の転倒　親鸞の声にならない声」）／主催・武蔵野女子学院／第二六一回日曜講演会における講演／場所・同学院「紅雲台大広間」（東京都保谷市）　＊『超西欧的』（改題「親鸞の声」）『未来』『全講演六』『語る親鸞』『全集二五』　＊『五十度』『１８３』　＊『質応Ⅲ』

208 九月一三日　「坐と文学」（改題「漱石のなかの良寛」）／主催・本郷青色申告会／本郷青色大学における講演／場所・青色申告会館（文京区）　＊『超西欧的』『語り②』　＊『１８３』

209 一一月二日　「経済における記述と立場」（改題「経済の記述と立場　――スミス・リカード・マルクス――」）／主催・日本大学経済学部三崎祭実行委員会／同経済学部創設八〇周年記念三崎祭における講演／場所・同経済学部七階大講堂（千代田区）　＊『超西欧的』『全講演一四』『経済学』　＊『五十度』『１８３』

210 一二月一日　「古い日本語のむずかしさ」／主催・千駄ケ谷日本語教育研究所／第一三回公開講座「みんなの日本語」における講演／場所・不明　＊『未収録一』　＊『五十度』『１８３』

一九八五年（昭和六〇年）　六〇歳～六一歳

211 三月三〇日　「現在ということ」（改題「「現在」ということ」）／主催・山梨県石和町教育委員会／石和町中央公民館成人講座「遊学イベント　た・だ・い・ま」における講演／場所・同町中央公民館三階大会議室（現・笛吹市）／他に芹沢俊介、

村瀬学の講演、講演の後、同じく講演をおこなった芹沢俊介、村瀬学とそれぞれ発言して、参加者との質疑応答を含め長時間にわたる討論をおこなう。　＊『未収録四』　＊『五十度』『183』　＊『質応Ⅲ』　＊著書未収録（「討論」）

212　七月一日　「マス・イメージをめぐって」／主催・煥乎堂（群馬県前橋市）／七月期煥乎堂文芸講座における講演／場所・前橋市民文化会館小ホール　＊『未収録五』　＊『183』　＊『質応Ⅲ』

213　七月一〇日　「アジア的と西欧的」／主催・リブロ池袋店／場所・西武百貨店　スタジオ200（豊島区）　＊『西欧的』『全講演一』『アジア的ということ』　＊『183』

214　九月七日　「文芸雑感――現代文学の状況にふれつつ」／主催・梅光女学院大学／同大学特別講演会における講演／場所・同大学校舎二〇八教室（山口県下関市）　＊『未収録一二』　＊『183』　＊『質応Ⅲ』

215　九月八日　「経済現象としての現在――日本高度資本制論」（改題「資本主義はどこまでいったか」）／主催・金榮堂（北九州市）／吉本隆明講演PART3「〈高度〉資本主義とは何か」における講演／場所・北九州市立商工貿易会館2Fホール　＊『超西欧的』『全講演ビ一』　＊『183』　＊『質応Ⅲ』

216　一〇月一八日　「心的現象論をめぐって」（改題「身体論をめぐって」）／主催・紀伊國屋書店／同店出版部三〇周年記念講演会「心的現象論と暗黙知の理論」における講演／場所・紀伊國屋ホール（新宿区）／他に栗本慎一郎講演と座談会（吉本隆明、栗本慎一郎、司会・小坂修平）あり。　＊『心』　＊『五十度』『183』　＊著書未収録（座談会）

217　一〇月二二日　「都市論」／主催・慶應義塾大学学生部／「都市の遊知　―都市と遊ぶシリーズ」の「吉本隆明　都市を語る」における講演／場所・同大学日吉キャンパス　日吉三三番教室（横浜市港北区）／質疑応答あり（司会・小潟昭夫　内容不明　著書未収録）　＊『都市』　＊『183』

218　一一月一日　「〈菊地信義の本展〉あいさつ」（改題「装幀論」）／主催・INAXギャラリー／INAXギャラリー2「菊地信義の本」展オープニング・イベント「本について語る」講演会における講演／場所・INAXギャラリー（中央区京橋三―六―一八　INAX東京ショールーム）八階会議室／当日の講演は、吉本のほか古井由吉、粟津則雄　＊『未収録一一』

一九八六年（昭和六一年）　六一歳～六二歳

219　一月三一日　「漱石、鷗外の見た東京」（改題「鷗外、漱石の見た東京」「鷗外と漱石の見た東京」）／主催・財団法人東京都文化振興会／季刊「東京人」創刊記念文化講演会における講演／場所・安田生命ホール（新宿区）／他に、シノラマ・篠山紀信、小林信彦の講演　＊『都市』『全講演一〇』　＊『183』

220　四月一二日　「受け身の精神病理について」（改題「「受け身」の精神病理について」）／主催・精神医療を考える会（宮

崎市・一ツ瀬病院内）／精神医療公開講座第一〇回記念講演／場所・宮崎市中央公民館　＊『全講演一八』『心』　＊『五十度』『183』　＊『質応Ⅲ』

221　五月四日　「文学はかっこよくなったか」（改題「「かっこいい」ということ――岡田有希子の死をめぐって」）／主催・マガジンハウス／「鳩よ！セミナー」における講演／場所・紀伊國屋ホール（新宿区）／一七歳のアイドル岡田有希子の飛び降り自殺は四月八日。　＊『未収録一二』　＊『183』

222　五月一〇日　「ハイ・イメージ論」／主催・多摩美術大学美術学部芸術学科／東野芳明教授担当全一九回の連鎖講義形式の必修科目「20世紀文化論」における講義／場所・同大学八王子校舎本館4F（八王子市）　＊『都市』

223　五月二九日　「イメージ論」／主催・京都精華大学／同大学アセンブリー・アワー講演会における講演／場所・同大学春秋館講義室（京都市左京区）　＊『未収録五』　＊『五十度』『183』

224　六月八日　「共同幻想の時間と空間――柳田国男の周辺」／主催・吉本隆明を読む会／吉本隆明講演会における講演／場所・盛岡市上田公民館　＊『柳田国男論集成』（洋泉社刊）『定本　柳田国男論』（洋泉社刊）『南島』　＊『五十度』『183』　＊『質応Ⅲ』

225　七月一二日　「時代はどう変わろうとしているのか」／主催・群馬県庁職員労働組合／「〈を語る〉連続市民講演会No.9」における講演／場所・群馬会館ホール（前橋市）／講演後、大広間において「座談会」がおこなわれる（内容不明）。　＊『未収録四』　＊『183』　＊『質応Ⅲ』　＊著書未収録（「座談会」）

226　一〇月一九日　「イメージの世界都市」／主催・日本でんまーく社／「'86菊屋まつり　吉本隆明ドリームランド」における講演およびフリートーク／場所・今池ガスホール（名古屋市）／フリートーク（吉本隆明、加藤典洋、竹田青嗣、橋爪大三郎、成田昭男、小浜逸郎、北川透ほか）あり。　＊『都市』　＊著書未収録（「フリートーク」）『吉本隆明資料集二五』（猫々堂発行）

227　一一月一六日　「日本人の死生観」（改題「日本人の死生観Ⅰ」）／主催・日本看護協会北海道支部北空知地区支部／同支部による講演会及び看護研究発表会における講演／場所・北海道滝川市総合福祉センター　＊『未収録一二』　＊『183』　＊『質応Ⅲ』

228　一一月一七日　「日本人の死生観」（改題「日本人の死生観Ⅱ」「続・日本人の死生観」）／主催・月曜談話会（北海道滝川市の異業種の人たちの集まり）／月一回の定例会における講演／場所・三浦華園（滝川市花月一丁目二―二六）　＊『未収録一二』　＊『183』　＊『質応Ⅲ』

229　一一月二三日　「詩の発生」（改題「詩魂の起源」）／主催・思潮社／思潮社創立三〇周年記念特別講演会における講演／場所・紀伊國屋ホール（新宿区）／テーマ・詩はどこへ行くか　＊『詩とはなにか』　＊『183』

230　一二月九日　「作家の死　芥川〜三島」（改題「芥川・太宰・三島の「自殺の運命」」）／主催・足立区教育委員会第一六期足立区区民大学第一〇回　公開講座における講演／主題「にんげんを考える―これからの生と死―」／場所・竹の塚社会教育館（足立区中央本町）　＊『未収録九』

一九八七年（昭和六二年）　**六二歳〜六三歳**

231　一月一七日　「ぼくの見た東京」／主催・東京都中央区立京橋図書館／東京を語る会　第五〇回記念講演における講演／場所・中央区役所八階大会議室　＊『都市』＊『183』＊『質応Ⅳ』

232　五月一六日　「ハイ・イメージを語る」／主催・京都書院／場所・京都書院「ヴァージョンB」4Fヴァージョン C（京都市中京区）　＊『未収録五』＊『183』＊『質応Ⅳ』

233　七月五日　「わが歴史論　柳田思想と日本人」（改題「わが歴史論　――柳田國男と日本人をめぐって――」）／主催・我孫子市教育委員会市史編纂室／第一四回市史講演会における講演／場所・千葉県我孫子市民会館　＊『柳田国男論集成』『定本 柳田国男論』＊『183』

234　七月一六日　「マス・イメージからハイ・イメージへ」（改題「幻の王朝から現代都市へ」）／主催・河合塾／河合塾名駅キャンパス（16号館）オープニングセレモニーにおける講演／場所・河合塾名駅キャンパス（16号館）五階5D教室（名古屋市中村区亀島二丁目六―四）　＊『幻の王朝から現代都市へ』（河合文化教育研究所刊）　＊『183』＊『質応Ⅳ』

235　九月一二日　「都市論Ⅰ」（付「都市問題から見た天皇制」）／主催・中上健次　三上治　吉本隆明／「いま、吉本隆明25時　24時間連続講演と討論」における講演／場所・寺田倉庫T－33号館4F（品川区）　＊『都市』＊『183』

236　九月一二日　「文学論――文学はいま」／主催・中上健次　三上治　吉本隆明／「いま、吉本隆明25時　24時間連続講演と討論」における講演／場所・寺田倉庫T―33号館4F　＊『未収録一二』＊『183』

237　九月一三日　「「都市論Ⅱ」（付「日本人はどこから来たか」）／主催・中上健次　三上治　吉本隆明／「いま、吉本隆明25時　24時間連続講演と討論」における講演／場所・寺田倉庫T－33号館4F　＊『都市』＊『五十度』『183』

238　九月一三日　「宮内豊、土井淑平、田川建三批判を介して」（改題「究極の左翼性とは何か――吉本批判への反批判」）／主催・中上健次　三上治　吉本隆明／「いま、吉本隆明25時　24時間連続講演と討論」における主催者挨拶として／場所・寺田倉庫T－33号館4F　＊『未収録七』＊『183』

239　一〇月三日　「言語表現とマス・イメージ」（改題「一行の物語と普遍的メタファー　――俵万智、岡井隆の歌集をめぐって」）／主催・思潮社／『岡井隆全歌集』Ⅰ・Ⅱ巻の出版記念会における講演／場所・日本出版クラブ会館（新宿区）　＊『未収録九』

240　一〇月二九日　「試行の立場」／主催・横浜市教育文化

センター（文化事業課）／連続講演「書物の現在」における講演／プロデューサー・安原顕／場所・同教育文化センター（横浜市中区万代町一―二）　＊『未収録七』『全集二二』

241　一一月八日　「農村の終焉――〈高度〉資本主義の課題」／主催・修羅出版部・長岡を考える会／「吉本隆明・農業論」講座における講演／場所・北越銀行ホール（新潟県長岡市）　＊『未収録三』『経済学』（ほぼ前半のみ）＊『五十度』『183』　＊『質応Ⅳ』

242　一一月二一日　「死の構造」（改題「〈死〉の構造」）／主催・神奈川県・逗子市教育委員会／逗子市民大学講座「人間と死」（テーマ）における講演／場所・逗子市社会教育会館三階　＊『人間と死』（春秋社刊）『新・死』

一九八八年（昭和六三年）　六三歳～六四歳

243　一月一九日　「民間教育への視座」／主催・不明（教職員関係）／場所・湯島会館（東京都文京区　現・ホテル東京ガーデンパレス）　＊『地獄と人間』（ボーダーインク刊　↓『地獄』）

244　二月二七日　「イメージとしての文学」第一回目／主催・福武書店／第二回福武文化フォーラムにおける講演／場所・福武書店東京支社一階講堂（千代田区九段南　靖国神社近く）　＊『地獄』＊『質応Ⅳ』

245　三月四日　「恋愛について」／主催・東京日仏学院後援・フランス大使館／「吉本隆明講演会」における講演／コーディネイター・安原顕／場所・同学院ホール（新宿区）／ベルク哲子個展同時開催・鎌倉書房（二月二九日～三月一二日）　＊『人生とは何か』（弓立社刊　↓『人生』）＊『183』　＊『質応Ⅳ』

246　三月五日　「イメージとしての文学」第二回目／主催・福武書店／第二回福武文化フォーラムにおける講演／場所・福武書店東京支社一階講堂（千代田区九段南　靖国神社近く）　＊『地獄』＊『質応Ⅳ』

247　三月一二日　「日本経済を考える」／主催・東京都墨田区立寺島図書館／場所・同図書館視聴覚室（墨田区東向島三丁目三四）　＊『全講演一二』『未収録四』＊『五十度』『183』＊『質応Ⅳ』

248　三月二六日　「室生犀星」／主催・犀星の会／犀星忌における講演／場所・日本近代文学館ホール（目黒区）　＊『未収録八』

249　五月一四日　「太宰治論」（改題「太宰治論――物語のドラマと人称のドラマ」）／主催・弘前大学近代文学研究会／「シンポジウム津軽・弘前'88　吉本隆明　太宰治論」における講演、発言など／場所・第一部　弘前大学教養部一七番教室（青森県弘前市）　講演など／感想（改題「感想　ひとつふたつ」）　シンポジウム発言　第二部　弘前市内　スペース・デネガ（ライブハウス）　シンポジウム／ゲスト・菅谷規矩雄　インタビュアー・村瀬学、鈴木貞美、司会・進行・長野隆、大谷尚文　＊『吉本隆明［太宰治］を語る　シンポジウム津軽・弘前'88の記録』（大和書房刊）『全講演一五』『未収録八』（講演、感想） ＊『183』

250 六月三日 「普遍イメージ論」（改題「普遍映像論」）／主催・京都精華大学／同大学アセンブリー・アワー講演会における講演／場所・同大学（京都市左京区） ＊『未収録五』 ＊『183』

251 七月八日 「日本人の「場所」――象徴天皇制と高度資本主義社会」／主催・神奈川大学人文学研究所／場所・同大学一〇―四二講堂（横浜市神奈川区）／テーマ・日本人の「場所」 ＊『大情況論』（弓立社刊 ↓『大情況』）

252 八月一七日 「発言」（内容不明）／主催・東京国際演劇祭実行委員会／「東京国際演劇祭'88池袋」におけるシンポジウム「文化の経済」における発言／場所・東武百貨店一二階・バンケットホール（豊島区）／パネラー・林雄二郎、佐野善之、吉本隆明、天児牛大、ジャン・フランソワ・ミリエ、ニコ・パーパ、司会・永井清陽 ＊著書未収録

253 八月三〇日 「荒地派について」／主催・関東学院大学文学部 関東ポエトリ・センター／第七回夏期セミナーにおける講演／場所・同大学葉山セミナーハウス（神奈川県三浦郡葉山町堀内一三八七） ＊『未収録九』 ＊『183』

254 一〇月一三日 「親鸞からみた未来」／主催・大谷大学／同大学開学記念式典における記念講演／場所・同大学講堂（京都市北区） ＊『語る親鸞』 ＊『183』

255 一一月一日 「親鸞の還相について」（改題「還相論――二つの慈悲 比喩としての親鸞」）／主催・真宗大谷派東京教区教化委員会／課題別育成員研修会における講演／場所・同教区会館（現在の練馬にある真宗会館ではなく、当時浅草にあった別院だとおもわれる） ＊『未来』『全講演六』『全集二五』 ＊『五十度』『183』 ＊『質応Ⅳ』

256 一一月一〇日 「子供の哲学」／主催・本郷青色申告会／本郷青色大学における講演／場所・本郷青色申告会館（文京区） ＊『未収録二』 ＊『183』

257 一一月一二日 「異常の分散について」（改題「異常の分散――母の物語」）／主催・一ツ瀬病院「精神医療を考える会」／第一四回精神医療公開講座における講演／場所・宮崎県宮崎市中央公民館 ＊『心』『全講演一八』 ＊『五十度』『183』 ＊『質応Ⅳ』

258 一一月一九日 「良寛について」／主催・埼玉県入間郡日高町（現・日高市）武蔵台自治会／場所不明 ＊『未収録二』 ＊『183』

259 一二月二日 「南島論序説」（基調報告）／主催・雑誌『文藝』河出書房新社／第一回『文藝』シンポジウム《吉本隆明を聴く――琉球弧の喚起力と「南島論」の可能性》／場所・沖縄タイムス・ホール（那覇市）／パネルディスカッション「それぞれの南島論」（嵩元政秀 比嘉政夫 上原生男 赤坂憲雄 吉本隆明 渡名喜明・司会） ＊『未収録一』『南島』 ＊著書未収録（「それぞれの南島論」）『吉本隆明資料集九九』

一九八九年（昭和六四年・平成元年）　六四歳～六五歳

260 講演の音源などは見つかっていないが、平成二年五月一〇日付『読連協だより』（桐生市読書会連絡協議会発行）第二四号に、「吉本隆明氏　坂口安吾を語る」という表題で、つぎのような講演要旨が掲載されている。

赤頭巾を被った可愛い少女が、森のお婆さんを訪ねていき、お婆さんに化けていた狼にむしゃむしゃ食べられてしまうという、ペローの童話を引用し、そこで突き放されちょん切られた空しい余白に、静かなしかも透明な、一つのふるさとをみることができる。その余白の中に繰り広げられているのは、可憐な少女が狼に食べられているという、残酷な光景であるが、それは決して不透明なものでなく、氷を抱きしめているような、切ない悲しさ美しさを持っている。

赤頭巾の童話から伝わってくる、宝石のような冷たさは、人の生存にまつわる絶対の孤独である。

うつせみは、道に迷っても、救いを予期して歩くことができる。しかしこの生存にまつわる孤独は、いつも広野を迷うだけで、救いを予期することはできない。そして最後に酷たらしく、救いのないこと自体が唯一の救いであると意識する。ここに安吾は文学のふるさとを見出している。

初期には、人の葛藤とか、情念とかが、自然描写と混然一体となった、奇妙な省略のある作品が多く、晩年に近づくにつれ、超現実主義手法の中に、説話を取り入れた作品に変ってきている。

無頼派の石川淳・太宰治・織田作之助も、説話をモチーフとした作品を書いている。

＊著書未収録

266 一一月二日　「宮沢賢治の文学と宗教」／主催・文京区立鷗外記念本郷図書館／第二〇〇回文学講演会における講演／場所・同図書館　＊『愛する作家たち』（コスモの本刊）『賢治世界』　＊『１８３』　＊『質応Ⅳ』

267 一一月一一日　「宮沢賢治における宗教と文学」（改題「宮沢賢治の実験　宗派を超えた神」）／主催・森集会（笠原芳光主宰）／森集会講演会における講演／場所・芦屋市民センター（兵庫県芦屋市）　＊『ほんとうの考え・うその考え　賢治・ヴェイユ・ヨブをめぐって』（春秋社刊）『賢治世界』　＊『１８３』　＊『質応Ⅳ』

268 一一月一二日　「イメージとしての都市」／主催・ことばをひらく会'89秋（季村敏夫主宰）／「セゾンカードスペシャル　ハイ・イメージ　吉本隆明＋Hurdy Gurdy Orchestra」における講演、トーク／場所・つかしん TENT IN（兵庫県尼崎市）／トーク「21世紀を透視する――ポストモダンとは何か」（対談者・笠原芳光）　＊『未収録五』（講演）　＊『１８３』　＊『質応Ⅳ』　＊著書未収録（「トーク」）『吉本隆明資料集一〇七』

一九九〇年（平成二年）　六五歳〜六六歳

269　二月一〇日　「宮沢賢治を語る」／主催・朝日カルチャーセンター／場所・津田ホール（渋谷区千駄ケ谷）　＊『全講演八』『賢治世界』＊『183』＊『質応Ⅳ』

270　二月二〇日　「イメージとしての世界認識」（原題「世界認識としてのイメージ」）　内容不明／主催・リブロ池袋店／「イメージの世界」における講演　他に多木浩二講演「イメージの政治学」／場所・西武百貨店スタジオ２００（豊島区）

講演の準備メモにはつぎのようなことが書かれている。

世界認識としてのイメージということでお話したいことはふたつあります。

ひとつは、イメージのつくり方。もうひとつは、具体的な中国、東欧、ソ連におこった世界史的な意味をもった変動についてのイメージを語ることです。

現在幸せを感じる　日本81％、英国74％、西独69％、仏65％

①

i　既成の政党の綱領（農業、住宅関係）と抵触することは語らないこと。

ii　既成労働運動に抵触することは語らないこと。

iii　既成文化人、文学者の反核、反原発運動に抵触することは語らないこと。

②　社会主義の原則は三つ

•国家の解体　•国軍の廃止　•大衆的な利益に合致するかぎりでの生産手段の公有

公有がいいという先験的な根拠はなにもない。これは資本主義「国家」が社会主義「国家」にならなければならない先験的理由がまったくないのとおなじだ。

つまり歴史の無意識進展と「意識」した変革とのあいだには、たぶん法則性は長い眼でみればあるのだろうが、短い射程ではなにもない。

iii　いまでも「こいつら」を許していいのだろうかという気分がある。「こいつら」とはあなたがただし、あなたがたからすれば「わたし」だ。

＊著書未収録

271　三月二七日　「一九七〇年代の光と影」／主催・紀伊國屋書店／「第四一回　紀伊國屋セミナー　70年代の光と影」第２部における講演／場所・紀伊國屋ホール（新宿区）　＊『大情況』

272　四月一四日　「現代において宗教は可能か」（改題「宗教思想家の親鸞」）／主催・法藏館／「仏教フォーラム　第Ⅱ期　第一回」における講演／場所・法藏館四階（京都市下京区）　＊『親鸞復興』（春秋社刊）

273　四月一九日　「「企業」と「人間」」（テーマ「消費論」）　内容不明／主催・I＆S（アイ　アンド　エス）／ポスト消

費社会研究会／「ポスト消費社会研究会」第一期第六回における講演／場所・サンシャイン・オフィス大会議室（豊島区）
＊著書未収録

274　五月一八日　「都市論」（改題「つくば・都市への課題」）／主催・筑波西武リブロブックセンター／場所・エキスポセンターコズミックホール（茨城県つくば市）　＊『未収録五』
＊『１８３』

275　七月三一日　「夏目漱石―「吾輩は猫である」「夢十夜」「それから」―」（改題「渦巻ける漱石」）／主催・日本近代文学館／「夏の文学教室　明治の文学・作家と作品」における講演／場所・よみうりホール（千代田区有楽町　そごう七階）
＊『夏目漱石を読む』（筑摩書房刊）『夏目漱石を読む』（ちくま文庫）『全講演二』　＊『五十度』『１８３』

276　八月二六日　「『遠野物語』の意味」／主催・『遠野物語』発刊80周年記念事業実行委員会・遠野常民大学／『遠野物語』発刊80周年記念講演、シンポジウムにおける発言／場所・たかむろ水光園（岩手県遠野市土淵町）／シンポジウム発言「『遠野物語』の世界」（パネラー・吉本隆明、牧田茂、鶴見和子、菊池照雄、コーディネーター・岩井光和）　＊『未収録一』
＊『１８３』　＊著書未収録（「シンポジウム発言」内容不明）

277　九月八日　「柳田国男と田山花袋―自然主義の位相」（改題「国男と花袋」）／主催・第八回「九常民大学合同研究会」／同研究会「生活者の学びの集い」研究主題・〈柳田国男に学ぶ―その成果と展望〉記念講演／場所・群馬県邑楽町長柄公民館　＊『未収録八』　＊『１８３』

278　九月一四日　「日本の現在と世界の動向」（改題「日本の現在・世界の動き」）／主催・アイム'89教育フォーラム実行委員会／同教育フォーラムスペシャル講演会における講演／場所・東京都羽村勤労福祉会館　＊『大情況』　＊『質応Ⅳ』

279　九月三〇日　「都市論としての福岡」／主催・「パラダイスへの道」出版委員会／『パラダイスへの道'90』出版記念講演会における講演／場所・福岡市立早良市民センター四階大ホール（福岡市早良区）　＊『全講演一二』『未収録五』
＊『五十度』『１８３』　＊『質応Ⅳ』

280　一〇月一四日　「詩的な喩の問題」／主催・歌人集団・中の会／「歌人集団・中の会　10周年記念　フェスタ・イン・なごや」における講演／総合テーマ・現代短歌'90s／場所・中京大学文学部（愛知県名古屋市）／公開質問（大野道夫、坂出裕子、彦坂美喜子）　＊『未収録一〇』　＊『質応Ⅳ』

281　一一月一一日　「死を哲学する」／主催・本郷青色申告会／本郷青色申告大学における講演／場所・本郷青色申告会館（文京区）　＊『人生』　＊『１８３』

282　一一月一七日　「日本社会の現在」／主催・文京区明るい選挙推進協議会・文京区選挙管理委員会「白ばらセミナー―講演と映画の会―」における講演／場所・文京区民センター３Ａ会議室　＊『未収録四』

283　一二月三日　「現在について」／主催・神奈川県逗子市教育委員会／平成二年度逗子市民大学講座「現代の危機　―

豊かさのツケを考える―」における講演／場所・市役所五階第六・七・八会議室　＊『地獄』＊『質応Ⅳ』

284 一二月一二日　「今の社会とことば」（改題「いまの社会とことば」）／主催・白梅学園短期大学／場所・同大学（東京都小平市）　＊『大情況』『吉本隆明 全マンガ論　表現としてのマンガ・アニメ』（小学館クリエイティブ刊　改題「社会と言葉の変容から―〝ちびまる子ちゃん〟とはなにか？」）＊『五十度』『183』＊『質応Ⅳ』

▽一九九〇年以降

285 「ポスト消費社会の画像」　年月日／主催者／場所／内容不明

講演準備メモ一四枚ほどあり

おもな内容はつぎのとおり

一　消費の定義

マルクス「経済学批判序説」から必要な箇所を複写して原稿用紙に貼付―宿沢注

たとえば消費の一形態である食物の摂取によって人間が自分自身の肉体を生産することはあきらかである。

i 「組み込み」からくる生産と消費の不可分（記号にカッコあり以下同じ―宿沢注）

ii 価値を消費することが何を生産しているのか、一見わからない

iii 生活・生命「身体」にまつわる消費

二　消費の類別

「消費論」からの表（「消費の増加と多様化」「消費支出の種類と割合」など雑誌掲載された必要箇所を複写して原稿用紙に貼付―宿沢注）

三　未知の社会への転換点はどこか

『家庭史年表』への自身の論評が掲載された必要箇所を複写して原稿用紙に貼付―宿沢注

四　産業の高次化とは何か

i 必需消費支出の％の低下、および選択的支出（サービス・商品）の％の伸びと対応するものだ

ii 選択的消費支出の例をもって説明してみましょう

（表あり―宿沢注）

空間的・時間的な遅延であるところにおこる価値の高次化である

- 産業としての多角化　第3次産業との連結。第1次・第2次産業との連結。
- 消費としての非本業　売上高比率の主流化

（表あり―宿沢注）

五　価値の高次化

i 時間・空間体の加工のことだ

ii 時間的・空間的遅延のところに生ずる変容

iii 像の産出、変容

六　諸問題

i （コーエン、ザイスマン『脱工業化社会の幻想』）（記

号にカッコあり以下同じ　記号の誤りを訂正―宿沢注）
第1次・第2次産業と第3次産業の関係
（消費社会と生産社会の関係）これをおしすすめると
•国際化・地際化をどう考えるか
•産業の高次化
農業から製造業へ↓サービス業へは自然か
例　①　農業と農薬の空中撒布
　　とCM↓国内生産
　　　↓輸入（トヨタ）　区別できない
サービス業　靴ミガキ　医療・結婚相談　コンピュータ・
プログラマー　税務　法律相談　スポーツ
（手にさわることのできる実体性がない）
アメリカ　サービス業七〇％以上（雇用人口）　製造業
二四％くらい
フランス　一九七五年　サービス業五〇％
ii　製造サービスの横断的に広がって（国際的に）ゆく技
術革命（技術と市場）
（国際産業型）
iii　アジアにおける有力な産業国家（都市）の出現
韓国、台湾、香港、シンガポールは始めて。
（産業・流通構造変革のインパクト）
iv　日本の小売業は中小零細店型が比重大で、大規模店の
ウエイトは小さい
流通経路が多段階で複雑

v　流通のショート・サーキットの出現
（例として家電の図式あり―宿沢注）　小市場を創る
産業高度化（大田区レポート）
vi　地域研究開発型小工場（中小企業）間のネットワーク
化
vii　従業員主権
資本論理　株主の論理　利潤の論理
銀行が株式をもっている（日本）
•日本製車・テレビ・VTRの強い国際競争力は下請企
業の存在による。（「納期」の厳守・「品質」保証・「価格」安）
viii　複数本社（為替変動の危ケンをサケル）
松下、三洋、立石、京セラ、ユニデン（日本にいない日
本企業）
ヨーロッパ、アメリカに販売拠点　東南アジア　生産拠
点　日本　財ム・開発
ロジステックスグローバル＝ローカル化　「グローカル」
人脈の国際化
ix　消費問題
•モノからサービス
•「人並み意識」から「個性化」へ
•消費から生産へ
•消費者の生産者化
グループで家庭パーソナルビジネス
例　料理　図式あり―宿沢注

（以上英数記号を変更―宿沢注）

また、つぎのような「質問」が書かれている。

「高次化は不可避なのはなぜか」

「生産・消費の時空のオクレ」

＊著書未収録

（二〇二三年一月三日脱稿）

【資料】マルクス者とキリスト者の討論

（1970・7・25開催、会場／西荻南教会、「止揚シリーズ1」から転載）

〔第一部〕 吉本隆明を囲む対談

三島 それでは、さっそくはじめたいと思います。きょうはたいへん暑いなかを、お忙い時間をさいて吉本さんにおいでいただきました。われわれとしては非常に有益なえがたいときだと思いますし、このあとティーチインをひかえていますから無駄なく有効にすごしたいと考えています。問題点はけさから論じていただいた三点にしぼられています。第一点は「巫女論」を中心とした女性論の問題、第二点としては人間と幻想というか観念というかあるいは宗教に関する問題、それから第三には大衆の原像ということでやっていきたいと思います。それではまず高橋さんからどうぞ。

1 女性論

高橋 『共同幻想論』の「巫女論」のところで女性の本質についてのべられている個所があります。そこを具体的に読んでみますと「〈女性〉が最初の〈性〉的な拘束から逃れようとするとき、もし男性以外のものを対象として措定するとすれば、その志向対象はどのような水準と位相になければならないだろうか……あらゆる排除をほどこしたあとで〈性〉的対象を自己幻想にえらぶか、共同幻想にえらぶものをさして〈女性〉の本質とよぶ」と書いてあります。このくだりがわたしたちの集まりでたびたび問題になって討論しましたが、いまだに納得のいく理解ができていません。集まりでは三つの意見がでました。そのひとつは、これは女性の本質規定としては理解できないという意見です。もうひとつは巫女論に引き寄せられて女性が論じられているから、こういう説明になるのだという意見です。それからもうひとつは、これはまさに吉本さんの女性本質論であって巫女を語りながら女性自身の問題性に言及しているのだという意見でした。

それでわたしは、はじめは女性の本質規定が巫女論に引き寄せられていると思っていたのですが、あとでよく読みかえして考えた結果そうではなくて女性本質論だというふうに思いました。そのときに「あらゆる排除をほどこしたあとで」という部分に非常にひっかかったわけです。たとえばどういうふうにひっかかったかというと、女性が同性である母親の拘束から逃れる場合に現実の男性を志向するのだけれど、あらゆる排除をほどこしてえらぼうとすれば、自己幻想なり共同幻想を対幻想の対象としてえらびうるのだというふうな解釈もできるし、また、えらぼうとすればというのではなくて常にえらんでしまう存在が女性なのだというふうにも考えられるわけです。それでわたしは〝常にえらんでしまう存在が女性だ〟と考えたわけです。まず、「あらゆる排除をほどこしたあとで」というところから説明していただきたいと思います。

吉本　ふつう「あらゆる排除をほどこしたあとに……」ということはどういうことかというと、つまりある女性がある特定の男性を好きだとか、父親が好きだとか、従兄が好きだとか、また好きだけれども経済的理由で貫徹できないとか、というように現実社会における女性はいろいろな条件や要因で具体的にはさまざまでありうるわけだが、そういうことをいっさい取り去ってしまって観念として〈女性〉を規定していったなら、そうなる以外にないという意味です。けっしてそういう場合もありうるというような意味あいでいっているわけではなくて、それ以外にないのだという意味あいでいっているわけです。それで観念としての〈性〉ということをなぜいうかといえば、生理として女性というふうにいうことはほんとうは意味がないということです。つまり、生理として女性であるか男性であるかということは、実はまったく相対的なことであって、人間は生理的には大なり小なり女性であったり男性であったり、またその混合であったりというだけであって、生理的あるいは身体的な意味で〈性〉ということをことさらいうということはあまり意味がないのです。そういうことがもともと僕の根本的な考え方のなかにあるわけです。

だから〈性〉ということを規定する場合に、たとえばいちばんいい例は、フロイトなんて人は人間理解の仕方のなかで〈性〉ということを非常に本質的なものと考えているわけですが、フロイトが〈性〉という場合にほんとうはどういうことをさしているのかつきつめていくと、ある場合にはわりあいに生理的なことをいっているけれども、またある場合には観念的なこと、幻想的なことをさしていることもあります。そこのところはたいへん曖昧なわけです。その曖昧さということがだいたい問題なのです。それはフロイトだけでなく、人間を自然としてみるエンゲルスなどの考え方でもたいへん曖昧です。

だから〈性〉というものをほんとうに考えるならば、それは生理的にあるいは身体的にあるいは自然としての人間（つまり有機的な自然）というような意味で性を考えているのか、それともそうではなくて観念としての〈性〉ということをいおうとしているのか、ということは少なくともはっきりしなければいけないという考え方が僕の根本にあるのです。そういうふうにはっきりしなければいけないとすれば、観念としてあるいは幻想として考えられた〈性〉というものがたいへん問題になるわけで、ある対象についていう場合に、いまいわれた例でいえば巫女なら巫女というものの本質を考えていく場合に、なにが問題なのかといえば、それは観念としての〈性〉というものがたいへん本質的な問題なのだというふうに考えなくてはならない。なぜならば、宗教が観念であるように巫女さんが巫女さんであるというゆえんは、まったく観念的な意味あいをもつわけですから。だから、そういう問題のなかで〈性〉というものを、あらゆる具体的な現実でおこるさまざまな条件というものを全部とっぱらってしまって、観念としての〈性〉というようなところで考えていけば〈女性〉というのはやはり自分自身を愛するかあるいは共同性を愛するか、そのどちらかであるというふうに規定できるのです。

それで、これは観念としての〈女性〉というふうに考えた場合にそう規定できるので、具体的な女性というのはべつに観念としての〈性〉だけでなくて、生理的にも女性として生きているわけですし、またそういうような意味あいも全部ひっくるめて、それは社会的に女性としても生きているわけです。だから、さまざまな条件に左右されるけれど、少なくとも巫女さんのように宗教にむかう女性を追求しようとする場合に、いろいろな条件をどんどん取り除いていけば、それは自分を愛するか共同幻想を愛するかあるいは共同性の象徴を愛するか、そのいずれかであるというふうに規定されるわけです。

それで納得しますか。もう少しなにかありましたら……。

高橋　それで巫女論では女性が個人幻想なり共同幻想なりに参加していくのだということがいわれていましたが、わたしはそのことから、文化的大状況のなかで、たとえば、女性がデモに参加する場合に対幻想の対象としてしかそれに関わりえないのだというふうに受けとったわけです。そうすると思想的営為に関わる場合にも、思想の本質的な問題である「自立」が、女性には成り立たないことになってしまうので、女性の本質は非常に問題があると感じたのですが。

吉本　実際問題としてどうでしょうか。たとえば体験的にいって、政治的なデモに参加する場合とか、また、へんな宗教法案がでてきたときにそれは反対だといって共同行動に参加していく場合にですね。これはきわめて具体的、体験的に、かつまた率直にいいまして、どうでしょうか。僕はあまりよくわからないのですが、そういう場合には〈性〉というのは意識しますか。

高橋　わたしの場合、政治的行動というのはちょっとよくわからないのですが、ただ、吉本さんの思想などとりいれてやっていこうとする場合に、なにか心にひっかかるのです。そういうことはぜんぜんないといったらおかしいと感じるわけです。それはある程度ほかの女性一般のなかにもなにかあるのではないかと感じます。

吉本　そうだとしますと、僕の考え方は、そんなに悪くはないのではないでしょうか？　それは原則的にいいますと、共同のサークルとか共同の行動とかそういう集団とかのなかででも、それからたったひとりの個人としてでも、人間はほんとうは〈性〉じゃないと思うのです。つまりそういう場合には〈性〉はでてこないのが本質だと思うのです。これは男性でもそうなので、でてくるはずがないと思う。つまり自分個人で、あることについて考えなにかをしたり、あるいは自分の考え方を深めていくときに、自分が女性だとか男性だとかということは問題にならないと思う。それから、集団的な存在のなかのひとりという場合でもそういうことは問題にならないはずです。ほんとうにつきつめていったらそんなことはありえないのですよ。

ただその場合に、それでも〈女性〉という問題がでてくるということがあるとすれば、それはいまの例でいえば巫女さんなどの場合がそうです。つまり共同性のなかで〈女性〉であるというようなことがもしでてくるとすれば、共同性に対して〈女性〉はわりあいに性的に結合するのではないだろうかということです。その場合の〈性〉というのが問題になるわけですが、つまりそれは観念としての〈性〉ということであって、しかもこれはそうとう広義な意味になるわけです。たとえば生理的に性行為をするとか生殖をするとかということではなくて、漠然とだれかが好きだ（それも観念としての性なのだけれど）という意味あいにとどまらないで、かなり遠くの対象、あるいはなんら具体的でない対象に対しても関わりあうというところまで拡張して観念としての〈性〉を考えなければその場合いけないのです。そういう場合に〈女性〉というのはわりあいに〈性〉として、共同性のなかにはいるのではないだろうかということです。その場合〈男性〉というのはどうしても無矛盾に共同性のなかにとけこむことはありえないので、個人としての自分と共同性のなかの自分とはでんぐりがえった形で頭のほうだけ参加している。けれども、全自分はそこには参加していないとか参加できないとかとけこめないとか、あるいはとけこんでもそういう矛盾を絶えずかかえているというふうになると思うのです。これは理論的にそう思えるのです。だから「観念として性的対象を共同性にえらぶ」ということを別の言葉でいえば、スポーッとそこにとけられるということです。男性の場合にはもちろん具体的にはとけられる人もとけられない人もいるわけですが、女性でももちろん自分はとけこめないという人もそうじゃない人もいます。けれども〈男性〉の場合には、あまり共同性のなかにスポリッとはいりこめないで、残りの部分というのをちゃんと自分の矛盾としてもっているというやり方をする。そこのところがスムースに共同性のなかにとけこめたり、ある場合にはひとりの女性が共同性の象徴とか集団の象徴たりうるということは、おそらく観念としての〈性〉の対象として共同性があるからだ、ということによるのではないのかなというのが僕のいいたいことなのです。

ところが、そうじゃなくて、男性が共同性の象徴であるという場合があるわけです。たとえばそれは戦争中のヒットラーがそうです。それは、そうとう強力な共同性のなかのひとつの象徴であったわけです。そういう場合に、ヒットラーとかその集団とかにとけこめる人間というのはどういうとけとみ方をするかというと、大なり小なり性的なように思える。それも、具体的に同性愛だとか異性愛だとかそんなことではなくて、非常に広義の性的観念というものが、たとえばヒットラーならヒットラーを象徴たらしめて天皇なら天皇を象徴たらしめてきたということの要素だと思うのです。だから、そういう場合にはべつに〝対幻想の対象を共同性にえらぶものを〈女性〉という〟というふうにいわなくたって、それは〈男性〉だってそうではないかという意味あいでいえばそうなのです。しかし、自己が自己を観念的な〈性〉の対象とするというような要素が、もうひとつの〈対極〉にあるという要素は〈男性〉の場合にはあまり本質的にはない。そういうところでどんどん追いつめていけば、どうしても自己自身をえらぶか共同性をえらぶかそのどちらかになってしまう。あるいは〈両端〉になってしまうという存在を、どうも排除をほどこしていけば〈女性〉といったらいいんじゃないかというふうになるわけです。〈男性〉だってもちろん自己自身を愛するというふうな観念をもちますし、また広義の性的といっていいような観念で共同性のなかにはまりこんでいくというようなこともあるわけです。けれども、その場合の観念的な〈男性〉というやつは、観念的な〈男性〉の部分のなかの小部分の女性部分でそうしているということです。

だから、具体的にあなたは女性でありあなたは男性であるというようなそういういい方は、ほんとうに厳密にいっていくとあまりできないのではないかということなのです。いくらでも女性的例外とか男性的例外とかいうものはあるのであって、具体的かつ常識的に髪を短くしているから男性だとか、長くしているから女性だとかそんな特徴でいっているものの区分けの仕方とは、まったくちがう軸から観念としての〈性〉というのは区分けをしなければいけないと思うのです。それで、それはたいへん広義に観念としての〈性〉ということを考えるということであって、そういう考え方のなかで〈女性〉というのをなおかつ本質的に規定しようと思えばそういうふうになるんだということです。具体的な女性がいつもそうであるとか具体的な男性がいつもそうでないとかいうこととは、ほんとうをいえばまったくちがう軸から切っているわけですから、関係ないといってもいいくらいです。そういう意味あいで受けとってくれればいいと思うのです。巫女さんという場合もそうであって、男性がたとえば巫女さん的な役割をするということももちろん具体的にはたくさんあるしありうるわけです。だから〈女性〉がそうであるという場合にも具体的な女性とあまり関係ないと思うのです。僕のいっているつまり観念としての〈女性〉というのは。

三島　それで問題がある程度はっきりしたと思います。つまりそこで抽出できるのは、〈女性〉と〈共同幻想〉ですね。これがでてきたと思うのです。それで吉本さんは〈共同幻想〉というものをひと口でいえば解体というか、〈自己幻想〉

から追放するということをいっていらっしゃるわけですね。そうすると、やはり女性の一般的にいうと弱さといいますか、それにはいっていくということの弱さがあるわけで、それに対するひとつの問題提起をそこでしていらっしゃるのではないだろうか、というふうに推測しますけれども……。

吉本　だから、そこのところは具体的な女性ということではなくて、つまり、こっちからこっちにいる人とかそういうことではなくて、観念として女性的なる本質はわりあいに無矛盾にそうもなりうるしまた無矛盾に自己自身をも愛しうるものだと思うのです。それは、具体的な男性とか女性とかに関係ないとみていいと思います。だけどもそういうことは具体的にはありうると思います。だけども、本来的にたとえばそれをひきのばしていったときの構想というのはそれぞれあると思うのですよ。つまり、社会的にも経済的にも、それからいわゆる制度的、政治的にも、人間が真の意味の自由を獲得できるというような社会がもし想定できるとすれば、それは具体的にどういう状態かといえば、さまざまなイメージがあると思うのですよ。

さまざまなイメージというのはどういうことかというと、たとえば大杉栄みたいな人はそういう社会がくれば、いまは〈性〉の問題がでているのだから〈性〉の問題に限っていえば、そういうときは全部フリーセックスで男女が自由に他のいかなる条件にも制約されず愛し合いそして自由にどうでもできるみたいなふうに構想するでしょう。だけど僕はそう構想しないわけなんです。僕はそうではないと思うのですよ。僕はたいへん自立的に構想するわけでね。もし特定の異性をほかのあらゆる制約なしにほんとうに好きになって愛しているといって、そして好きだというのがきわまるところでいっしょに暮らすようになる。つまり一夫一婦制を強固に厳守するのもまったく自由でしょうし、それから、それこそ大杉栄流に、俺はフリーセックスなのだということでやるのもご自由でしょうと。ただ要するにフリーセックスでなければいけないとか、それから一夫一婦制というのは不可であるというようなそんなことは絶対ないと思う。もし一夫一婦制というものがその場合、必然的にある一対の男女によって提起されるならば、そういう社会においては、いまよりももっと強固にそれを保持すればいいので、なにもあいつは古くさいやつだとほかの人がいう必要もないし、またいわれる理由もないわけです。そういうことで画一化されて、画一的にみなフリーセックスになって〝愛するがままに行ない〝愛するがままに離れ、また次へ〟というふうに、僕はならんと思ってるわけです。たとえば〈性〉なら〈性〉ということだけについていって、そうじゃないと思うのです。強固に相互に他のいかなる条件にもよらないで、愛するとか愛さないとかというだけの条件で、もし相手の男あるいは女を拘束することが合意ならば拘束したらいいのです。拘束したらいいということはつまりそういうことはありうるのであって、それをただほかの理由から拘束するということではなく、異性を愛するというなら異性を愛するということにおいて相手を強固に拘束するということはありうるのであって、ありえたらそうすればいい、そうすることは古くさいと人が文句をいうことはないだろうというただそれだけのことだろうと僕は思っているわけです。それからまた、あいつはやたらに女たらしで不道徳でけしからんというやつもいるというだけで、勝手にやったらいい。勝手にやってるというだけです。で、自分はそうじゃない、自分は強固に拘束すると、それで他の人はそうでなかったと、それでべつに他の人を非難する根拠も理由もなにももっていないし、自分自身もまた他から非難される根拠ももっていない。その場合において、その〈性〉というものの状態というのが、画一的にこうなるというように僕はちっとも思っていないのです。また、そういう状態が、〈性〉についての理想だとも思っていないのです。だから、そんなことは一対の男女の間で決まるだけであって、ほかの条件に拘束されて決まるのではない。どんな状態でもありうるだろうと思う。ただ、それは親からも社会からもくちばしをいれられる余地はぜんぜんないと、それだけのことだろうというふうに僕には思われます。つまり、そういうところの構想というのはそれぞれちがうと思うのですよ。

だから、そこのところでたとえば弱さ強さでいうならば本質的にいえば、おそらく、ひとりの個人の個人的な観念の世界というものは、かならず共同性のなかではある矛盾、逆立というものを体験するわけなのです。しかし、現実の具体的な男性、女性というふうにいわれているものは大なり小なり本質的に追いつめるところまでいかないというところで存在しているわけですから、そういう意味であなたのおっしゃる弱さというような意味あいでいえば、それは弱さであろうし、不都合なところだといえば不都合なところでもあるでしょう。けれども、その場合の〈男性〉〈女性〉というのはちっとも具体的な男性、女性ということと関係がない。関係がないといいきってはおかしいけれども、まるでちがう軸から〈男性〉〈女性〉というふうにいっているのです。そういうふうに理解していただければいいと思います。

2　人間と幻想及び宗教

三島　そこのところをいま問題にしたのは、つまり人間の問題ということになると思うからです。それで、次にわたしの問題になるのですけれども、まず〈性〉ということでいくと幻想のなかに父と子の抗争の問題があるわけですね。そして「規範論」にいきますと「人間のあらゆる共同性が、家族の性的な共同性からはじまって社会の共同性にいたるまで〈醜悪な穢れ〉であると考えられたとすれば、未開の種族にとってそれは〈自然〉から離れたことの畏怖に発祥している……。」とのべてあるわけです。つまりこれは、人間が人間であるためには性的な関係をもち、そこにまた観念をもって生きなければいけない、と同時にまた他との関係、他集団もそこにはいりますけれど、そういう共同性をもって生きていかなければいけないということになって、この文章でいえば、そこに未開人はいちおう〈醜悪な穢れ〉というものを想定したと、それでこれをやがて天上にあずけるということから宗教が発生してきたと、こういうふうに論を展開しておられると思います。そこでつまり、未開人が〈醜悪な穢れ〉というふうに意識した〈そのもの〉は、いわば人間自体の本来的な問題としてのなにかであるというふうに思われます。それで人間が人間であるということは、どうしてもそのなにかから離れて存在できないのではないかと思うわけです。それが彼らの場合には、宗教それから更に法へとなっていったわけですね。で、われわれに即してここのところを考えてみても、たとえば対幻想つまり家族のなかにおいて、やはり軋みや抗争というものがあるし、それから女性、観念としての〈女性〉のなかにも共同幻想への非常な傾きがあり、〈男性〉のなかにも女性的なものがあって、そういう傾きがあると。あるいは他との関係においても切実な問題があります。そういう問題をどうしたらいいかということが実際にあるわけです。そういうことで、少しとびますが、そこに禁制というようなことがでてきたと思うわけです。それでそこのところは今月号の『文芸』で対談しておられた禁忌の問題にも触れてくるわけですが、わたしはわたしなりに、いちおう理解してノートなんかに書いているのですが、どうもうまく表現できないのでそのあたりから話していただきたいと思います。

吉本　つまりこれは〈猿から人へ〉ということと関連するわけですが、結局〝人間というのをどう考えたらいいのか〟ということがあるでしょう。その場合に明らかに人間というのは自然の一部であるわけです。これは人工的であろうとどうであろうといいわけですが、自然の一部であるということなのです。それで、この自然の一部ということは、初期マルクスもいっているのですが僕は宮沢賢治という人が昔好きでしてね。それで宮沢賢治という人はそういうふうに〈人間は自然の一部です〉といっているのですよ。で、そういえばそうなんで、つまり疑えないので、人間の身体であろうと神経であろうとみな自然物からできているというだけでほかのなにものもないのです。つまりなにかほかにあるわけでもなんでもないのです。自然物からできているだけで、また自然の一部であるわけだから、まったく自然的に生活して、生命活動を続けていければいちばん幸いなわけですが、どういうわけかわからないけれど、人間だけは自らによって自らを拘束するものを自分でつくってしまったわけです。それがまた、男女における性的観念（それもまた一種の束縛あるいは不自由さを含むわけです）というものもつくっちゃったわけです。それでもっといえば制度とか政治とかあるいは宗教とか習慣とか、そういうものをつくっちゃったわけです。できちゃったということとつくっちゃったということとは表裏でしょうが、人間だけがそれをつくっちゃったわけです。それは普通、人間が高級だからだというふうに考えるかもしれないが、ほんとうはそうじゃない。だから、いいとことではないにもかかわらずそういうものをつくったことが問題なんで、そこがつまり動物と区別される意味での人間的だということのいちばん根本にあることだと思います。あまり自分の利益になるわけでもないし、自分に幸福をもたらすわけでもかならずしもないけれど、そういう制度の世界をつくったということがなにはともあれ人間にとっていちばん本質的なことだと思うのです。だから、常識的には〝人間というのは社会に生きているのだから、集団のなかの人間ということもよくよく考えなくてはいけないんだ。そういうことを無視して、ただ利己的なことばかりやっているのはよくない〟というふうにいわれているけれども、僕はそのいい方はまったく逆で、そんなものはなければないほうがいいということが根本にあると思うのです。現に動物なんか、そんなものはあまりつくってはいないのだから。それで生きられる余地があるなら、そのほうがほんとうはいいのです。だから、かならずしも社会的であり制度的である人間などというものはほめたことではない、という考え方が非常に根本だと思います。だけども、そういうものを不可避的につくっちゃったのだということです。ほかの点なら、全部人間のやることはだいたいほかの動物もやっているのです。だけれども、自分を拘束するものを自分が観念的につくりだしてしまうということは、ほかの動物にはできない。それで、それは幸であるか不幸であるか、おそらく不幸であるわけですが、できちゃったもの、やっちゃったものは仕方がないじゃないかというところに動物と区別される人間の本質があると思うのです。だから、そんなものはないほうがいいということが非常に根本だと思います。

実際問題として、人間の生理過程だけを考えてみれば、そんなものはどこにもはいる余地がないのであって、たとえば感覚作用でもそうなんで、なにかものをみると、みたやつが眼の網膜に映って、それが網膜のうらに分布している神経刺激にかわり、それが脳の視覚中枢にいって、それでこれならこれがみえて〝ああこれはなにだな〟とわかった、というようなことになるわけです。その過程だけを考えてみると、自然過程以外のものはなにもはいっていないわけです。だけれども僕はこうだと思うのです。つまり、自然過程しか人間の身体にはないのだけれども、自然過程自体として、矛盾を生みだしたときには〈それをあなたがおっしゃる〈醜悪な穢れ〉といっても、あるいは〈しこり〉といってもいいわけですが）、それは自然過程であるにもかかわらず〈観念の過程〉をかならず生みだしてしまうということです。つまり、自然過程がもし無矛盾に行なわれているならば、それは観念を形成しないと思います。なぜなら、人間の生理過程というのはぜんぶ自然過程だから、それが無矛盾であったら完全に〈観念の世界〉はつくらないわけだと思うのです。けれども、生理過程自体がその過程自体として矛盾を生みだしたときには、その矛盾はどういうふうにして解けるかというと〈観念の世界〉をつくりだすことによって解く以外に、つまりはけ口はないのです。そういう意味あいで〈観念の世界〉ができてしまったということはたいへん必然であったと思われるわけです。

それでは、なにがいったい矛盾なのか？

かんたんに考えてここにマイクがある。これを人間の目がみてそれが脳の視覚中枢に伝わり〝ああこれがマイクだな〟とわかるようになる。その過程のなかで、どこに矛盾があるかといえば、まずこういうことだと思います。つまり、目はよく比喩に使われますが、とつレンズと同じで、レンズにはいった光線がうしろ側の網膜に像をむすぶわけです。それは、まったく自然過程だと思う。そしてそのうらに神経分布があり、その神経分布にはそれぞれの機能があって、ある神経は輪郭とか、ある神経は明暗とかというふうに分担が決まっている。それで、それを像にともなった神経刺激として、脳に伝えていくわけです。これも、まったく僕の考えでは自然過程です。そして、それが視覚中枢にいく。けれどもその場合には刺激伝達というものがいくわけで、なにも網膜に映った像が中枢へいくわけではないのです。だからほんとうをいえば、視覚中枢に到達したものは単なる〈神経の刺激伝達の総和〉であって、それ以外ではないのです。それはたしかに網膜のうらに映ったときには、それは像として映っているわけです。レンズの像としてさかさまの像が映っていると思うのです。だからそこまでは像としてあるわけだが、そのあとは神経刺激ですから、像として中枢にいくのではなくて、刺激としていくだけです。だから、ここにきたのは〈刺激の総和〉ではないかということです。〈刺激の総和〉なのに、それがどうして〈形〉とか〈明暗〉とかが再現されるのかということになるわけです。

つまり、生理過程あるいは自然過程としてはそれしか来ようがないのです。つまり像がなにかで運ばれていくわけではないのです。そうではなくて刺激が分担されて運ばれていくわけです。だから、ここに来たのは明らかに分担された〈刺激の総和〉なのです。だから、そこに像が生じるということは、それだけでは絶対にいえないというように思うのです。だけれども、たしかにこれは像として、マイクならマイクがこういうマイクだというふうにみえるわけですよ。それはなにかというと、僕の考えでは、〈観念作用〉だと思うのです。つまり生理過程あるいは自然過程だけでいえば、どこにもこれが再現されてみえるという理由がないのです。つまり人間にとって、理由はないのです。網膜のうらにこれの像が映ったところまではいいようなものの、そこから神経の刺激でもって分担されて中枢にくるわけだから、それが〝どうして像になるか〟ということはいわなくてもいいように思われるが、いわなくてはいけないですよ。理由がいえなければ絶対にだめですよ。そうするとこれが再現されるためには、そういってよければあるひとつの〈構成力〉というのがいるわけですよ。〈構成力〉というのはつまり〈観念の力〉ですよ。それがなければ、どうしてこうみえるか、ということはいえないと僕は思います。つまり、生理過程だけでいうならば絶対いえないと僕は思います。どうしてこうなるかという最後のところが矛盾なのです。それが視覚における矛盾です。それはおそらく、どんな名称をつけてもいいけれどひとつの〈構成力〉です。

その〈構成力〉というのは一種の〈観念力〉だと思います。つまり〈生理過程の矛盾〉です。生理過程では、どうしてもそういえないのに、それがちゃんと映ってそうみえて、こうだと思ってるのだから、それは矛盾です。だから、そういう矛盾というものが〈観念の世界〉というものを生みださせてしまったのです。生みださせてしまうと、だんだん観念のなかでまた観念的に考えるということがあるし、能力もできますから、そうすると、ますます観念はおおきくなるわけです。そうして、そのきわまるはてに、セックスなら動物みたいに生理的な性行為だけ本能的にしていればいいのに、そこに愛だとかなんだとかという観念を与えなくてはいけなくなる。それからまた、ただ生命を維持して暮らせばいいのに、集団をつくり掟をつくり、また機関をつくってしまうということをやるわけです。で、宗教をつくってしまい国家をつくってしまうということをやっちゃうわけです。そんなことはちっとも幸福ではないけれど、しかし、そういうことをしてしまったのだから、しょうがないじゃないかということがある。それで、だからかならずしも幸福であるとは思われない〈観念の世界〉というものを、ただ苦しむためかもしれないのに生みだしてしまい、またなにか制度みたいなものをつくってしまう、というようなことをするわけです。それで、それはひとつの〈醜悪な穢れ〉といってもいいです。

つまり、自然の一部分として生活していればいいのに、自然の一部分であるくせに自分の生理過程のなかに矛盾があるから〈観念の世界〉をちょっぴり生みだしてしまい、そして〈観念の世界〉と縁がない無機的な自然というものと対立してしまう。つまりなにかを生じてしまう。それは〈醜悪な穢れ〉でもなんでもいいですよ。それでつまり一種の〈しこり〉をつくってしまう。その〈しこり〉というものがきわまるところ、いろいろな制度、法、宗教、等々になり、またタブーとなり観念的世界ができあがったということです。だけど、そんなことは本来しなくていいはずです。なぜならば、人間だって自然の一部分なのですから、自然の一部分が自然と対立するというのは、まったくナンセンスではないかということです。動物みたいにやっていればいいのに、とにかく生理過程として、なにはともあれ〈しこり〉を生じたということから、身体的、生理的にみれば自然の一部分であるにもかかわらず、しかも一部分であるその自然と自分が対立してしまう。そういうことが、人間の幸福のはじまりか不幸のはじまりか知らないけれど、そういうことのはじまりだと思うのです。つまりそれを、その場合に規範とか道徳とかのいちばん最初にあるものとみればいい。あるいは宗教、宗教的なお祓いでもいいですよ。そういうもののいちばんさきにあるなにか〈醜悪な穢れ〉つまりなにか〈しこり〉ですよね。要するに、そういうものだというふうに考えていけばいいじゃないですか。

だから、ここのところでいちばん僕なんかが根本的に思っていることは、けっしてそういうことは、ほんとうは幸福なことではないのであって、人間は個人として自由に生きられ自由に考えられ、そして不自由がなければそれがいちばんいいのにもかかわらず、社会的にも集団的にも生きなくてはならないというようなことをやってしまったということ、それはちっともそのこと自体は自慢にもならないし幸福とも限らないということ、なければないほうがほんとうはいいということです。だからそうじゃなくて、最初から人間は社会的動物であるとか、人間は集団なしには生きられないというういい方というのは、僕は嘘だと思っているわけでね。ほんとうは、もし集団なしに生きられたら生きたほうがいいんだ、という本質はつかまえる必要があるというふうに僕は思っているわけです。

三島　それで、その本質の意味は非常によくわかりました。本質的なものをとらえて、そこから、そういうふうなひとつの主張がでてくるということは非常に意味あいがおおきいと思います。しかし、現実的に、それを自分たちの集団なら集団において考える場合に、それじゃあどうすればいいのかということになると、ちょっととまどうわけです。たとえば『文芸』の江藤さんとの対談の例でいえば「ポリバケツ」のことをやっていてですね。なにか〝これ、ちょっと、どうなんか?〟と聞きたいようなものが人間のなかにあるだろうし、それからまた他人のことをみてて〝なにか、ちょっといいたい〟というような、そういうあたりから、また同じようなものがでてくるというようなことがあるのではないかと思いますが、そのあたりについてどう考えておられますか。つまりユートピアではなくて、いまの現実のわれわれの問題として考える場合に、ということです。

吉本　それはだから、そんなものはなければないほうがいいのだという問題から、次に派生する重要なことなのだけれども、いったんつくってしまった以上は、ストレートにそこにいけないということだと思うのです。つまり、そこがものすごく、むずかしいところだと思うのです。だから、たとえば〈悔い改めろ、天国がくるのだ〉というでしょう。つまり、お前も利己的でなくなればいいじゃないか、お前だってそうだ、お前だってそうだと、そしてそれを拡げていけばいっぺんに地上の天国がきちゃうじゃないかというふうに宗教はしばしばいうでしょう。だけれども、そがまた次に派生する重要な問題なのであって、つまり「ポリバケツ」にいくというのは非常に近いようにみえるけれど、つまり個人個人が悔い改めればそういくじゃないかというふうに思えるけれど、その認識の仕方というのはまちがいだと思うのです。まちがいだというのは、いったんできてしまった以上は、ものすごく実はかんたんなようにみえて〝ひとりひとりが悔い改めて一億人がそうすれば日本なんて全部天国だ〟というふうになりうるはずなのに、ということはつまり、お前が悔い改めればそれだけでいいんじゃないかと、つまりそれは観念のどこかでちょっとお前が考え方を変えればいいんじゃないかという問題のようにみえて、つまりたいへんたやすいようにみえるけれども、しかし、そこが問題なのであっていったんできてしまった以上は、ものすごい遠い廻り道を非常に的確に通っていかないと〝ポリバケツで当番でやればいいじゃないか〟というところにはいかないということです。そういうものすごい迂回路を通らないと〝個人個人が悔い改めればたちまちこの世は天国だ〟というところへは絶対にいかないということがすごく重要だと思う。

だから、そこで制度に対しては集団をとか、権力に対してはやはり力をという問題が過渡的にある情況のなかではでてくる。それが正確であるか否かはべつとして、そういう道を通らねばならぬということがありうるのです。つまり、わりあいに動物に近い生活に、できてしまった人間の世界を、もう一度もっていくということは究極的にはものすごくむずかしいことです。人類が四千年かかってやっと到達したのはせいぜい資本主義という制度である。それは、一見自由そうで、勝手に能力があって儲けたいやつはいくらでも金が儲けられるし、儲けたやつは金をだせば何だって手にはいる。それはいいようにみえるけれど、こっちのほうをみると、あすどうやって食うか困っているやつがいるというふうになっていて、ちょっとそういうのは困る。しかし、その制度をよしとしてくるまでに人類は少なくとも有史以来六千年ぐらいかかっているわけです。六千年かかって、人間の最高の智恵がうみだした最高の制度が、資本主義だということです。だから、資本主義というのは単に悪ばかりでできているのではなくて、やはり四千年なら四千年、六千年なら六千年の智恵が、そのなかにあることは確かです。つまり前代に比べて、封建時代なら封建時代に比べてよりよい智恵があることは確かなのです。だから、それでせいぜい四千年もかかって、つくりあげたのは何かといったら、それは資本主義だということで、これが人間が制度的に考えて最高のものだということです。それで、これをつくるのに四千年とにかくかかっているのだぜ、というようなことがあるでしょう。だから、そういうような意味あいでいけば、みなひとりひとりが悔い改めれば、いっぺんにこの世は天国だというようなことをいったって、そんなにかんたんなことではないということ。かんたんなことではなくて、そうとうな迂回路を、しかもわりあいに正確に検討しながら通っていかないと、そこにはいけないという問題がやっぱりあるのです。だから、そこのところは、さっきいったように制度の世界、観念の世界をつくったなんていうのは、あまりいいことでも高級なことでもないんだということと、同じ意味あいから派生してくる第二の問題というのは、つまり、一見空想的には、頭で空想している限りは、わりあいにたやすく到達できそうだけれど、そうはなかなかいかないという問題です。そこへいくためにやさしそうでもたいへんな迂回路を、一見するとまるで反対なような迂回路を通らなければ、どうしてもそこへは行けないというような問題が人間の観念の働きのなかにはあるということ。観念がつくりだした制度の問題のなかにあるということ。だから、その迂回路を通っていかなければ、そこに行けないのだということが、やはり派生する非常に重要な問題じゃないのかなというふうに思われます。

だから、あなたのおっしゃるように、いや〝ポリバケツ云々といったって文句はやはりあるさ〟というようなそういう問題というのは、ほんとうをいえば、おそらくその迂回路をどう通るかというような問題だと思うのです。制度的にも個人的にもどう通るかという問題が、そういう問題としてほんとうは現われるのではないでしょうか。

だけれども、しかし天国は部分的に、仮定的につくれないことはないのです。つまり、ある少数の集団とかサークルのなかでの制度あるいは運営というような問題のなかでは、かなりの程度、理想に近い形態が、つまり「ポリバケツ」で当番でいこうじゃないかというような、だれがどうしたというようなことなしにいこうじゃないかというようなことが、仮想的にはけっして不可能ではない。つまり、絶えずおのおのが防衛措置をこうじている限りは、絶えず不安定ですけれどもできないことはないということはあると思います。だけれども、これが社会の問題であり制度の問題であり国家の問題であるというようなことでは、けっしてそうはいかないですね。ものすごい迂回路を通らなければ、そのようなことはできないのです。やさしそうにみえて、つまり五、六人の仲のいい友達とか集団では、当番制にしてなにもお前が威張ることもないし、俺が威張ることもないというふうなことが、わりあいかんたんに仮定的には不可能ではないけれど、それを制度として実現する場合、あるいは単に国家ということだけでなく世界的規模で実現するというような場合には、たいへんな迂回路を通らなければ、そうはいかないということがあると思うのです。そこの問題だと思うのですけれど。

僕らは批判される場合に、いまでもそうですけれど、お前の考え方は反社会的であるとか、非社会的であるとか非集団的であるとか、そういう非難とか批判というものをしこたま体験してきたけれど、そのことはそれでいいと思うのです。しかし、そういうふうに批判する人の根本思想のなかに社会とか集団というもの絶対化して、つまり過渡的に迂回路を通る過程としてやむをえないのだという認識がなくて、これこそがほんとうに人間的なものだと、そして人間は集団的動物でありそれが本質なのだというような、そういうふうなしばしば居直りでもって通している場合というのがおおいのです。だけども、僕はそれは嘘だと思う。それはまちがいなんで、そんな集団なんてものはなければないほうが、ずっといいにきまっている。〈観念の世界〉なんてものもなければないほうがよかったのだ。だけれど、そういうふうにつくっちゃって、その歴史を何千年も体験してきちゃっているのだからしょうがないじゃないか。だから、はじめて人間は集団的にも機能しなければならないし、社会的存在でもあらねばならないということであって、そんなものは、なにも絶対化することはない。つまり、個人的に自由に個々の個体として生きたいにもかかわらず、そういうものをやむをえずつくっちゃって、そして、ある歴史を経てきちゃった。だからこそ、人間は社会的であり、また集団的であるのだという認識が根本になくて、集団的人間こそが真実の人間だというような、そういう認識というものはおおいわけですが、僕はそれはまちがいであると思っています。だから、それはそうじゃない。つまり、仮想的には仮定的には、やむをえないのだということです。つまり迂回路としてやむをえんのだ、というような意味あいでそれはそうなるのであって、けっしてそんなものは絶対化することはできない。絶体化したら官僚化するわけですし、だれかが権力を握り、だれかが落っこちるというような、だれかが経済力を握り、だれかが握らないというようなことがかならず起こるわけですから、あまり絶対化しないで、迂回路としてはやむをえないのだ、というような認識が根本にないと僕はちょっとまずいと思いますけれどもね。それからまた迂回路自体がなくて、個々の人が悔い改めれば、そうなっちゃうのだというようなのは僕はとても受けいれられないように思います。そうはうまくいかないのだということですね。そうはいかないのだということは、つまり少数の非常に気心の知れた集団でこれからはじめるという場合には、それは可能であるけれども、すでに歴史が何千年か経過して既成事実として出来てしまっているものに対しては、ちょっと個々の人間が悔い改めればそうなるはずだとか、利己主義を捨てればそうなるはずだというのは僕は信じないですね。もし、それが宗教だというのならそれはちょっと信じられないと僕は思います。

三島　次は大衆の原像の問題にうつりたいと思います。

3　大衆の原像の諸問題をめぐって

山下　吉本さんがいつも思想というものは「大衆の原像」を同時に繰り込んでいかなければいけないというようなことをいわれるわけですが、それを説明していただくときに、柳田さんのいっている「常民」と相関して話していただきたいと思います。これが第一点です。

もうひとつは、近代日本の百年をとってみても非常に畸形的なものがあって、その畸形自体が社会構成の不可欠な要素をなしているということがありますね。しかも、吉本さんのいわれるように、大衆というのは生活意欲といいますか、そこのところで自分の世界をつくっていき、しかも自分たちの生活水準ということで身の振り方を考えていくとすれば、戦前と戦後では資本制がかなり露わな形で現われてきておりますし、諸階層や格差もいろいろありますし、その境界線が非常にぼけてきているような感じになってきていますが、現在において、一九七〇年でもいいですが、「大衆の原像」というものをどういうふうに考えておられるのかということについて、原理的なことを二番目にききたいと思います。

吉本 「大衆の原像」ということを柳田さんなんかの「常民」という概念と関連させていうと、こういうことがあると思います。〈帝力我に於いて何か有らんや〉という中国の言葉がありますが〝支配者がどう変わろうとそんなこと俺に関係ない。俺はきょう耕してそれで収穫し、あすまた耕して収穫し、それで自分が食べていければ政治がどうなろうと、そんなこと俺の関知するところでない〟というような意味あいの流れをずっと考えてきた場合に柳田さんの「常民」という概念がでてくると思います。

その「常民」という概念は、僕が「大衆の原像」といってるものと、その意味ではたいへん一致するわけです。ただ一致しないところはどういうことかといえば、ひとつは生粋な意味でそういう存在は、あなたのおっしゃるようにそういう意味あいで、また、さまざまの変化をもっているだろうということがひとつと、もうひとつは、柳田さん的にいって〈帝力我に於いて何か有らんや〉という存在、つまりだれが支配者になろうと俺はそんなこと知ったことでないという存在が、仮りにあるとしてその存在は確かに一見するとそういうふうにみえるけれども、しかし大きな意味あいでは、つまり間接的には帝力のなかにスッポリとはいっていると思うのです。ただ、自分ではそう思ってないだけです。なぜ、そう思っていないかというと、それはまあ、税金でも納めるときは多少体験しますが、それ以外であまり身近に、そういう帝力を体験しないからで、そういう人を想定すれば、そういう人はあまりだれが総理大臣になろうが、支配者がだれに変わろうが、そんなことは俺は知らん、ただ食ってこうしてやっていければ、それでいいわけですよ。また、それだけだという人もほんとうの意味あいではスッポリと帝力のなかにはいっていることは確実です。つまり、はいっているという要素は柳田さんの「常民」概念のなかにはあまりないと思います。

だから、俺は生活者であって生活範囲だけで考えて、あすどうなるかということだけ心配してそれで食っていければいいんだ、というものを「大衆の原像」として想定したとしても、ほんとうは目に見えない権力の網の目のなかにスッポリはいっている、そういう大衆ですよね。なにもそんなものを物神化することはないということです。そういう大衆だと思います。

その大衆の可能性としてもっている範囲を考えますと、それは普通はスッポリと権力の網の目のなかにはまっているわけですが、現実的には常に両面をもっているということだと思います。そのひとつはもし政治力が身近までスーッとやってきた場合には、たいていいままでは無自覚にはいっていたけれど、今度は自覚的にスッポリはいって、なお更それを自分で受け入れてしまうという面です。それから、もうひとつは逆の面、逆の可能性だと思います。つまり、そういう人は、あまりいい例でいわなければ、なにか自分の生活のなかに、政治力みたいなのが直かに肌にさわってくれば、そうとうむちゃくちゃなことをやるかもしれないのです。だから、それがさわってこなければ、スッポリとはまっていて、さわってくれば、やりすぎるほどやるかもしれんということです。

三島　予定の時間がすぎてしまっているので残念ですが、次のティーチインでそのことに触れながら話していただきたいと思います。

※次号以降で順次、「止揚シリーズ1」の後半に収載されている吉本「平田清明の所有論、国家論批判」、翌年（一九七一年）発行の「止揚シリーズ2」に収載されている「吉本隆明を囲む対談」、吉本「共同体論について」、三島・笠原・吉本の「討論」を掲載の予定です。「止揚シリーズ1」には吉本講演「宗教と自立」も載っているが割愛した。

（菅原記）